오! 마이 나트랑·달랏

책에 부착된 VIP카드는
베나자 트래블라운지 공항(148쪽 참고) 또는
시내점(40쪽 참고)에서 실물 카드로 교환해 드립니다.

오! 마이 나트랑·달랏

초판 1쇄 발행일 2024년 4월 30일
초판 2쇄 발행일 2025년 1월 15일
지은이 홍아미·하승호·안창현·김준영 | **펴낸이** 김민희
편집 김반희 | **디자인** 이유진
영업 김영란 | **제작** I Can

펴낸곳 두사람
등록 2016년 2월 1일 제 2016-000031호
팩스 02-6442-1718 | **메일** twopeople1718@gmail.com

ISBN 979-11-90061-36-0 14980

두사람은 여행서 전문가가 만드는 여행 출판사, 여행 콘텐츠 그룹입니다.
독자들을 위한 쉽고 친절한 여행서, 클라이언트를 위한 맞춤 여행 콘텐츠와 서비스를 제공합니다.
Published by TWOPEOPLE, Inc. Printed in Korea
© 2024 홍아미·하승호·안창현·김준영 & TWOPEOPLE,Inc.

오! 마이 나트랑·달랏

홍아미 · 하승호 · 안창현 · 김준영 지음

두사람

96만 명이 선택한 나트랑, 달랏 자유여행 카페 베나자와 함께합니다

5시간이면 도착하는 도착하는 베트남 나트랑!

에메랄드빛 바다와 아름다운 백사장

테마파크와 머드 온천, 야시장 등 다양한 즐길거리

일 년 내내 즐기는 해양 스포츠와 사막투어

하루 1그릇 쌀국수와 하루를 마무리하는 마사지

커플 여행부터 가족과 함께하는 여행까지

여행자가 원하는 모든 것을 갖춘

나트랑·달랏으로 베나자와 함께 떠나볼까요?

베나자 카페

네이버 카페 **베나자**
cafe.naver.com/mindy7857

스마트스토어 **여행하기 좋은 날**
smartstore.naver.com/nhatrang

카카오채널 **베나자**
예약 및 상담 전화 02-2297-3137

나트랑·달랏 여행자를 위한
정보 공유 카페
국제 여행사 라이선스를 보유한
현지 상주 전문 여행사
베나자만의 특별한 혜택

1. 나트랑·달랏을 즐기는 특별한 팁

추천 일정, 맛집, 쇼핑, 여행의 노하우 공개

베나자 회원을 위한 무료 셔틀과 트래블 라운지

2. 다양한 여행 프로그램을 알뜰하게

지상 투어, 해상 투어, 달랏·무이네 투어

에어텔, 렌터카, 호텔, 리조트 프로모션

3. 제휴 업체, 현지 레스토랑 및 상점 할인 쿠폰

로컬 음식점, 감성 카페, 쇼핑 숍 등 100여 개 제휴 업체

베나자 인증 스파, 네일 숍에서 즐기는 마사지

홍아미

동남아를 사랑하는 여행 작가. 여성들의 창작활동을 응원하는 1인 전자책 출판사 '아미가'를 운영한다.
『지금, 우리, 남미』,『그래서 너에게로 갔어』,『미치도록 떠나고 싶어서』,『제주는 숲과 바다』등을 출간했다.
블로그 blog.naver.com/2yjyj 인스타그램 @hong.ami

하승호·안창현

베트남 여행 전문 디렉터. 베트남 전문 여행사 (주)여행하기좋은날의 공동 대표로 다낭, 나트랑, 푸꾸옥 등
베트남의 새로운 여행지를 알리고 있다. 네이버 카페 '베나자', '다낭고스트' '푸꾸옥 고스트', '하노이 고스
트'를 운영하며 다양한 베트남 여행 정보와 서비스를 여행자들에게 제공하고 있다.
인스타그램 @venaja_nhatrang 유튜브 베나자TV

김준영

여행 크리에이티브 디렉터. 온오프라인 여행 콘텐츠 기획자로『오! 마이 괌』,『여행자의 방』등 여행서 시
리즈 개발, 여행작가 클래스 등 다양한 여행 상품과 서비스를 기획하고 있다.

이유진

여행 콘텐츠 디자인 디렉터. 전 '론리플래닛' 가이드북 한국어판 디자이너로 다수의 여행 콘텐츠 디자인
및 아트 디렉팅, 여행복합문화공간 '언제라도 여행' 기획 및 운영을 맡고 있다.

김반희

여행 콘텐츠 디렉터. 전 '론리플래닛' 가이드북 한국어판 편집장으로 다수의 여행 콘텐츠 개발 및 교정·
교열을 맡고 있다.

두사람 출판사

여행서 전문가가 운영하는 여행 출판사, 여행 콘텐츠 그룹. 독자들을 위한 쉽고 친절한 여행서, 클라이언
트를 위한 여행 콘텐츠와 서비스를 제공한다.
인스타그램 @travel__withyou

CONTENTS

PART 2. ENJOY
NHA TRANG·DA LAT

맛있게 즐기는
나트랑·달랏

CONTENTS

나트랑·달랏은 어떤 곳일까?

BEST SPOT

나트랑·달랏
추천 명소

나트랑

롱선사

포나가르 사원

혼쫑 곶

담 시장

나트랑 비치

쩜흐엉 타워

나트랑 대성당

빈원더스

면적

나트랑 251km²
달랏 395km²
서울 605km²

달랏

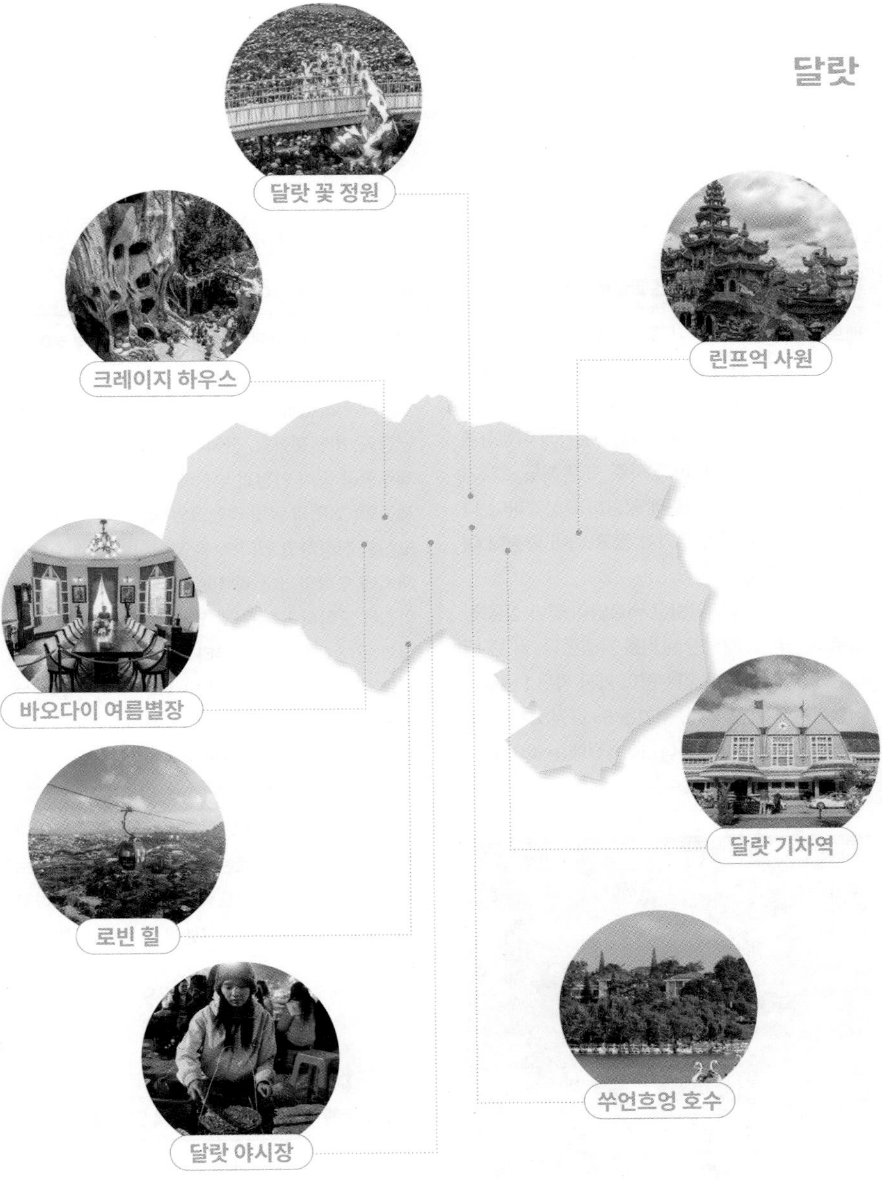
달랏 꽃 정원
크레이지 하우스
린프억 사원
바오다이 여름별장
달랏 기차역
로빈 힐
쑤언흐엉 호수
달랏 야시장

FAQ

1 출발하자!

나트랑·달랏 언제 떠나면 좋을까요?

베트남 남부에 속한 나트랑은 해안도시로 연평균 기온 25~33도의 고온 다습한 열대기후다. 크게 건기와 우기로 나뉘는데 우기는 9~12월, 건기는 1~8월이다. 건기가 여행하기 좋지만 우기에 여행하게 되더라도 걱정 말자. 비가 자주 오긴 해도 소나기가 더위를 식혀주는 덕분에 청량하고 상쾌하다. 나트랑은 다낭에 비해 우기가 짧고 내내 화창해 여행하기에 좋다.

고산지대에 위치한 달랏은 베트남이 맞나 싶을 정도로 시원하고 쾌적한 날씨를 자랑한다. 일 년 내내 큰 더위가 없으며, 강수량이 가장 적은 1~4월이 여행하기에 가장 좋다. 우기는 5~11월로 9~10월에 비가 가장 많이 내린다. 12~1월에는 꽃이 만개해 더욱 아름답다.

2 계획하자!

여행 일정은 며칠이 적당할까요?

나트랑과 달랏 여행은 3~4박 일정이 대부분이다. 인천에서 나트랑과 달랏까지 직항 비행시간은 최소 5시간 정도이다. 아시아나항공, 대한항공, 베트남항공, 비엣젯항공, 진에어, 에어서울, 에어부산, 제주항공 등이 인천과 부산에서 나트랑 깜라인 국제공항(CXR)과 달랏 리엔크엉 국제공항(DLI)까지 노선을 취항하고 있다. 보통 저녁이나 밤에 출발해 새벽에 도착하거나 새벽에 출발해 현지 시각으로 아침에 도착하기 때문에, 첫쨋날에는 리조트 내 휴식과 근처 산책으로 마무리하고 다음 날부터 본격적인 일정을 시작하는 것이 좋다. 마지막 날에는 체크아웃 후 출국 시간까지 비는 시간에 다양한 체크아웃 투어를 이용해볼 수 있다.

나트랑에서 남서쪽에 위치한 달랏까지 거리는 135km다. 나트랑-달랏 구간은 직항 항공편이나 열차가 없으며, 버스로는 4시간, 택시나 렌터카로는 3시간 소요된다. 나트랑에서 달랏을 여행하고 싶다면 다양한 투어 프로그램을 이용하는 것을 추천한다.

3 준비하자!

베트남 여행 전 특별히 준비할 게 있나요?

첫 번째, 자외선 차단제와 모기 기피제, 선글라스와 모자 등 더운 지역을 여행할 때 필요한 준비물

활기가 가득한 도시, 끊임없이 유입되는 문화와 트렌드, 개방적이고 친화적인 사람들, 온화한 날씨, 맛있는 음식, 저렴하게 즐길 수 있는 매력적인 관광 명소까지. 베트남을 여행해야 할 이유는 무궁무진하다. 여행을 앞둔 당신이 궁금해 할 만한 몇 가지 질문들을 추려보았다.

은 꼭 챙기도록 하자. 큰 관광도시에서는 약국을 어렵지 않게 찾을 수 있지만 만약을 대비해 필수 의약품은 직접 준비해가는 것이 좋다. 물가가 저렴한 베트남이지만 의약품은 꽤 비싼 편이다.

두 번째, 이런저런 분실이나 안전사고에 대비한 여행자보험 가입 또한 필수이다. 여행 일정에 맞게 상품을 선택하자. 세 번째, 환전 시 이중 환전을 추천한다. 기본적으로 베트남 화폐인 베트남 동(VND)이 통용되지만 쇼핑센터, 식당, 호텔, 여행사 등 여행객들이 이용하는 대부분의 장소에서는 달러(USD)도 받는다. 동만 취급하는 노점이나 일부 매장도 있는 만큼, 우리나라에서 달러로 환전한 후 필요한 만큼 동으로 이중 환전하는 것이 편리하다.

4 선택하자!

어떤 숙소를 선택해야 할지 고민돼요.

숙소를 선택할 때는 위치, 부대시설, 전용 해변, 조식, 가성비 등 고려해야 할 사항이 많다. 다행히 오래전부터 휴양지로 발전한 나트랑은 숙소 인프라가 잘 갖춰진 편이다. 어린 자녀를 동반한 가족 여행이라면 빈원더스처럼 어린이용 부대시설을 갖춘 리조트를 선택하는 것이 좋다. 연인이나 친구들과 함께하는 여행이라면 나트랑 해변가에 위치해 아름다운 전망과 뛰어난 서비스를 자랑하는 럭셔리 호텔을 추천한다. 시내를 벗어나 프라이빗한 자연 속에 자리 잡은 고급 풀빌라 리조트는 신혼부부들에게 인기 만점이다.

5 주의하자!

베트남 여행 시 특별히 주의해야 할 점은요?

돈의 단위가 큰 베트남에서는 천의 자리 이하를 제외하고 금액을 이야기하는 경우가 많다. 이를테면 250,000동을 250이라고 이야기하는데, 만 단위가 익숙한 우리나라 여행객들은 250만 동으로 착각하고 10배의 가격을 지불하는 경우가 있다. 정직하게 되돌려주는 일이 거의 없으니 계산 시 반드시 유의할 것!

택시 탈 때도 바가지를 씌우는 일이 심심찮게 발

생하기 때문에 호객하는 임대 택시보다는 회사 소속의 브랜드 택시를 이용하는 것이 안전하다. 비나선(Vinasun; 흰색), 마이린(Mai Linh; 초록색), 꾁테(Quoc Te; 하늘색), 아시아(Asia; 노란색) 택시를 기억하자. 그랩(Grab)이나 우버(Uber)는 앱을 통해 이용할 수 있다. 택시 브랜드마다 미터 기본요금이 서로 다르며, 현금을 미리 준비해두는 것이 좋다. 최근에는 카카오T 앱을 통해서 그랩 택시를 호출할 수 있다.

6 알아두자!
미리 알고 가면 좋은 여행 팁을 추천해주세요.

나트랑의 롱선사는 필수 방문 명소로 꼽히지만, 한 달에 이틀은 방문할 수 없다. 베트남의 모든 불교 사원들은 음력 1일과 15일에 문을 닫는다. 방문 계획이 있다면 음력 날짜를 반드시 확인하자. 또한 공휴일에는 대부분의 명소나 식당이 문을 닫고 숙박비도 올라간다.

7 도전하자!
베트남 음식이 처음인데 입에 잘 맞을까요?

베트남 여행의 가장 큰 매력을 꼽으라 하면 백이면 백, 음식을 이야기한다. 동남아 음식에 거부감이 있는 이들도 베트남 쌀국수부터 조금씩 그 맛을 알아가기 시작한다. 현지 음식을 즐길 수 있게 되면 여행이 훨씬 풍성해진다. 단맛과 짠맛, 신맛이 적절하게 어우러지고 튀기거나 데치거나 삶거나 날것으로 식탁에 오르는 신선한 식재료들이 입맛을 돋운다. 특히 나트랑은 다양한 문화가 융합되어 있는 지역이라 베트남 음식뿐만 아니라 세계적 수준의 미식도 즐길 수 있다. 단 고수가 불편하다면 식당에 요청하자. '고수 빼주세요'는 베트남어로 "콩 라우 텀"이다.

8 안심하자!
자유여행 계획 중인데 치안이 괜찮을까요?

베트남은 비교적 안전한 나라지만 번화한 관광지에서는 소매치기 같은 절도 사건이 종종 일어난다. 손에 카메라나 휴대전화를 들고 있을 때 각별히 유의하고 가방은 되도록 앞으로 메자. 특히 오토바이나 자전거를 탈 때 가방을 옆이나 뒤로 메면 위험할 수 있으니 주의할 것. 또한 최근 숙소에서 도난 사건이 일어난 사례가 있는 만큼 각별히 주의할 필요가 있다. 귀중품이 있다면 금고에 두거나 직접 소지하도록 하자. 베트남에서 도난을 당하면 신고해도 되찾을 확률은 극히 희박하다. 그러나 필자의 경험상 베트남에서의 도난 사고는 유럽 지역보다 훨씬 적은 편으로 크게 걱정하지 않아도 될 수준이다.

9 기억하자!
마지막 일정이 여행의 성공을 좌우한다!

나트랑에서 우리나라로 돌아오는 귀국편은 밤늦은 시간일 때가 많다. 여행 내용에 따라 마지막 일정을 다르게 계획해보자. 빽빽한 일정을 소화하느라 지친 여행자라면 호텔 측에 요청해 체크아웃을 연장하자. 더운 오후에 시원한 풀장에서 느긋하게 힐링하고 마사지와 쇼핑, 식사를 즐기며 여유롭게 여행을 마무리할 수 있다. 반대로 리조트에만 있느라 제대로 관광을 하지 못한 경우라면 공항 샌딩까지 포함한 체크아웃 투어를 신청해 마지막까지 알찬 하루를 보내는 것을 추천한다.

10 생각하자!
베트남 여행 예산은 얼마 정도 생각해야 하나요?

여행 예산은 대개 숙소, 교통, 식비, 관광비로 나뉘는데 여행 스타일에 따라 천차만별이다. 번화가에 위치한 2~3성급 호텔의 경우 2인 기준 1박에 5~7만 원으로 충분하지만, 수영장이 딸린 고급 리조트나 호텔은 10~15만 원, 럭셔리 풀빌라는 40만원 내외까지 올라간다. 식사도 로컬 음식점은 한 끼에 천 원이면 해결이 가능하지만 관광지의 유명 레스토랑은 우리나라 못지않게 비싸다. 항공료 또한 저가 항공(30만 원대)부터 국적기(50만 원대)까지 다양하다.

KEYWORD

1 해변
다양한 해변의 도시

럭셔리한 고층 호텔과 야자수, 탁 트인 푸른 바다와 고운 백사장이 인상적인 나트랑 해변, 수십 킬로미터에 달하는 롱 비치, 화려한 조명과 음악으로 밤을 장식하는 개성 강한 비치바. 베트남에서 손꼽히는 휴양지인 나트랑은 다양한 특징을 자랑하는 해변을 취향에 맞게 즐길 수 있다는 점에서 특히 매력적이다. 리조트와 레스토랑, 클럽과 바 등 다양한 여행 인프라가 해변을 중심으로 형성되어 있어 휴양과 관광을 함께 즐길 수 있다. 고급 리조트의 경우 깨끗하게 관리된 프라이빗 비치는 물론 시내와의 접근성도 뛰어나 만족도가 높다.

2 음식
부담 없이 즐기는 진미

전 세계에 마니아를 거느릴 정도로 대단한 인기를 자랑하는 베트남 음식 중에서도 중부 지역의 음식은 더욱 특별하다. 북부와 남부의 개성 강한 음식들의 장점만을 취합한 전통음식들을 만끽해보자. 숯불고기와 채소, 쌀국수의 환상적인 하모니를 즐길 수 있는 분짜와 분팃느엉, 쫄깃한 면발과 고소한 견과류가 어우러진 미꽝, 시원한 생선 육수가 일품인 분짜까 등 저렴하면서도 특색 있는 음식의 향연이 펼쳐진다. 또한 일찍이 개방된 덕분에 바비큐 같은 서양 요리의 수준도 상당히 높다. 나트랑 해안가에는 근처 바다에서 갓 잡아온 해산물을 곧장 요리로 즐길 수 있는 오픈 식당이 즐비하다.

3 엔터테인먼트
가족과 함께 즐거운 추억 쌓기

나트랑에는 놀 거리, 즐길 거리가 풍부하다. 보트를 타고 나가 바다와 섬을 만끽할 수 있는 호핑 투어, 온갖 놀이기구와 오락시설이 갖춰진 테마파크, 최고 수준을 자랑하는 고급 리조트의 액티비티 프로

번화한 도심 옆으로 펼쳐진 평화로운 해변, 고급 리조트와 저렴한 스파를 동시에 즐길 수 있는 곳. 시끌벅적한 비치클럽이나 여유로운 루프톱바에서 보내는 저녁 시간. 나트랑·달랏 여행의 매력을 하나하나 살펴보다 보면 당장 비행기에 몸을 싣고 싶어진다.

그램까지 전부 체험해볼 수 있어 가족 단위 여행객들에게 제격이다. 섬 한 곳에서 테마파크와 리조트, 골프장까지 원스톱으로 즐길 수 있는 나트랑의 빈원더스도 놓치지 말자.

4 교통
쉽게 갈 수 있어 더욱 매력적인 곳

나트랑은 매일 직항편으로 방문이 가능하다. 인천에서 나트랑까지는 4시간 30분, 달랏까지는 5시간 소요되며 우리나와의 시차도 2시간밖에 되지 않아 피로도가 낮은 편이다. 국적기는 물론 저가 항공에 이르기까지 다양한 노선이 마련되어 있어 선택의 폭이 넓다. 자유여행 시 시내 교통도 필요에 맞게 이용할 수 있는 서비스를 제공하고 있다. 네이버 카페 베나자에서는 드라이버가 포함된 렌터카를 저렴하게 이용할 수 있고, 택시 요금도 저렴한 편이다. 카카오택시, 우버나 그랩 등 어플리케이션 또한 상용화되어 있어 편리하다.

5 리조트
쾌적하고 럭셔리한 여행의 정석

나트랑은 외국인 여행객은 물론 현지인들에게도 큰 사랑을 받고 있는 곳이다. 오래전부터 관광지로 발전한 덕분에 뛰어난 시설을 갖춘 리조트가 해변 곳곳, 전망 좋은 곳에 자리하고 있으며 가성비 또한 어느 동남아 도시와 비교해도 뒤지지 않는다. 식사와 모든 시설 이용이 포함된 올 인클루시브 리조트도 속속 늘어나는 추세다.

6 근교 여행
매력적인 당일 여행지

나트랑 시내 관광은 하루면 충분할 정도로 규모가 작지만 근교에 매력적인 당일 여행지가 많다. 나트랑에서 1시간 거리에 위치한 양베이 폭포에서는 더위를 날리는 물놀이는 물론 머드 스파도 체험할 수 있다. 나트랑 시내에서 30분 거리에 위치한 바호 폭포도 액티비티를 즐기는 여행자들에게 인기다. 나트랑에서 출발하는 무이네 사막 투어를 이용하면 샌듄과 피싱 빌리지, 요정의 샘, 리틀 그랜드캐니언 등을 방문할 수 있어 특별하다.

달랏 시내에서 조금 떨어진 곳에 위치한 다딴라 폭포에서는 캐녀닝과 알파인코스터, 프렌 폭포에서는 래프팅을 즐길 수 있다.

7 액티비티
남녀노소 누구나 즐겁게

바다를 옆에 끼고 있는 나트랑은 흔히 액티비티의 천국으로 불린다. 수온이 낮아지는 11~2월을 제외하면 언제든 패러세일링, 제트스키, 카약, 패들보드 등 다양한 해양 스포츠를 즐길 수 있다. 나트랑에서 배를 타고 혼탐, 혼문 등 근교 섬으로 이동하면 스노클링을 즐길 수 있다. 보통 호핑 투어로 진행되

며, 스노클링 장비 대여도 가능하다. 생각보다 깊은 바다에 놀라는 것도 잠시, 총천연색 물고기와 산호가 그려내는 수중 세계의 감동이 이어진다. 스쿠버다이빙, 씨워킹 등의 액티비티도 저렴하게 즐길 수 있다.

8 커피
커피 산지에서 즐기는 커피

베트남의 카페 문화는 우리가 상상하는 것 이상으로 근사하다. 커피 마니아라면 하루 종일 멋진 카페를 찾아다니며 여유를 만끽하는 것만으로도 좋은 경험이 될 것이다. 관광객들이 많이 찾는 여행자 거리 주변에 최신 트렌드의 카페가 모여 있으며, 최근에는 보태니컬 인테리어를 자랑하는 카페들이 들어서는 추세다. 특히 커피 산지로 유명한 달랏에는 커피 농장 투어는 물론, 산지에서 재배한 원두로 로스팅 체험을 해볼 수 있는 프로그램도 마련되어 있어 커피를 좋아하는 이들에게는 천국 같은 시간이 될 것이다.

여행에 필요한 베트남어

인사말, 일상

안녕하세요	씬 짜오 Xin chào
안녕히 계세요	땀 비엣 Tạm biệt
한국인입니다	또이 라 응어이 한 꾸옥
	Tôi là người Hàn Quốc
감사합니다	씬 깜언 Cảm ơn
미안합니다	씬 로이 Xin lỗi
또 만나요	헨 갑 라이
	Hẹn gặp lại
예쁘다	뎁 đẹp
멋있다	뎁 짜이 Đẹp trai
좋아요	똣 tốt
아파요	다우 đau

식당에서

주문할게요	쪼 쭝 또이 고이 몬
	Cho chung toi goi mon
화장실이 어디예요?	냐 배씬 어 다우?
	nha ve sinh o dau?
계산할게요	띤 띠엔 Tính tiền
맛있어요	응언 꼬아 Ngon quá
더워요	농 꼬아 Nóng quá
추워요	라잉 꼬아 Lạnh quá
얼음 주세요	쪼 또이 따 띠
	Cho em đá đi
고수 빼 주세요	콩 쪼 라우 텀
	không cho rau tho'm
포장해 주세요	하이 고이 쪼 또이
	Hay goi cho toi

쇼핑할 때

너무 비싸요	막 꼬아 mac qua
얼마예요?	바오 니에우? bao nhiêu?
깎아 주세요	짬 짜 띠 giam gia di
이걸로 주세요	조 또이 까이 나이
	cho tôi cái này

차량 이용 시

좌회전	레 짜이 rẽ trái
우회전	레 파이 rẽ phải
여기 세워 주세요	증 어 다이 Dừng ở đây đi
몇 분 걸려요?	맛 바오 니에우 풋?
	Mất bao nhiêu phút?
길을 잃어버렸어요	또이 비 락 드엉
	Tôi bị lạc đường

숫자

1	못 Một		6	싸우 sau
2	하이 hai		7	바이 bảy
3	바 ba		8	땀 tam
4	본 bốn		9	찐 chin
5	남 năm		10	므어이 mười

TRAVEL
CITY

나트랑 Nha Trang
액티비티 천국, 아름다운 휴양지

베트남 카인호아 성에 자리한 해변도시인 나트
랑은 다낭 면적의 약 1/5 크기다. 베트남 남북
을 가로지르는 고속도로를 따라 위치하며 다낭
에서 530km, 하노이에서 1,278km, 호찌민에서
438km 떨어져 있다. 베트남 중남부의 주요 어업
기지이자 오랜 군사기지로 하노이-호찌민을 연결
하는 철도가 지나며, 1862년 프랑스인에 점령당하
기 전에는 베트남 왕국에 속해 있었다.

다도해와 산, 모래사장으로 둘러싸인 나트랑의 해
변은 일 년 내내 푸르며 수온이 따뜻해 일찍부터 휴
양지로 발전했다. 참족이 세운 포나가르 사원, 가족
여행객들의 휴양지로 유명한 빈원더스와 빈펄 리
조트, 스노클링으로 유명한 혼문, 혼미에우 등의 섬
이 자리해 있다.

달랏 Da Lat
프랑스가 만든 색다른 휴양 도시

람비엔 고원(해발 1,500m)에 위치, 다낭에서 705km, 호치민에서 308km 떨어져 있다. 1890년대 이 지역을 탐사한 박테리아 학자 알렉상드르 예르생 박사의 제안에 따라 당시 프랑스 식민정부 총독이자 이후 프랑스 대통령이 된 폴 두메르가 휴양지로 개발하였다. 도시계획에 따라 1907년 지어진 첫 번째 호텔을 비롯해 언덕에 들어선 프랑스식 빌라 등 지금까지도 프랑스 옛 도시의 모습을 간직하고 있다. 도시 중심에 위치한 쑤언흐엉 호수, 탄토, 소나무 숲으로 둘러싸인 인공호수인 뚜옌람, 크레이지 하우스, 바오다이 황제의 별장, 꽃정원, 달랏 야시장이 대표적인 볼거리다.

무이네 Mui Ne
사막과 함께하는 특별한 즐거움

나트랑과 달랏의 남서쪽에 위치한 휴양지로 호찌민에서 차량으로 4시간 거리에 있다. 무려 10km에 이르는 긴 해변을 따라 리조트와 레스토랑이 들어서 있으며, 파도가 거칠고 높아서 서핑·윈드서핑을 하거나 바다를 바라보며 휴식을 즐기기 좋다. 무이네에서 남쪽으로 약 5km 거리에는 유명한 모래언덕인 샌듄이 자리한다. 지름 2~3km 규모의 언덕에서 사막 같은 풍광과 일출과 일몰의 아름다움을 만끽해보자. 피싱 빌리지와 무이네 바닷가 계곡 안쪽에 있는 요정의 샘, '동양의 그랜드캐니언'으로 불리는 협곡 등이 유명하다.

INFORMATION

무비자 여행 기간

45일

(전자 비자는 90일)

도시 규모 (서울 총 면적 605km²)

251km²
나트랑

394.6m²
달랏

연평균 기온

26.9도

연간 강수량 (연간 강수량 절반 이상이 9-12월에 집중)

1,360mm

도시별 총인구 (2023년 기준)

341,281명
나트랑

301,243명
달랏

시차

2시간

(우리나라가 2시간 빠름)

종교

40%
불교

36%
가톨릭교

0.5%
개신교

5성급 호텔 평균 가격

(2023년 기준)

100$

전압

(우리나라 220v 사용 가능)

220V

베트남 국가 전화번호

84

지역 전화번호

258
나트랑

263
달랏

HASHTAG

#여행 시기

전형적인 아열대기후로 연중 무더운 날씨를 자랑하는 나트랑. 늘 화창하지만 10~12월은 우기이기 때문에 비가 많이 오고 습한 편이니 피하는 게 좋다. 더위를 피하고 싶다면 우기 직후인 12~2월을, 해양 액티비티 체험이 우선이라면 2~5월을 추천한다.

#OOTD

더운 나라의 휴양지인 만큼 반팔 티셔츠, 반바지 등의 가벼운 차림이면 OK. 수영복과 어울려 입을 수 있는 원피스나 커버업을 준비하는 것도 좋겠다. 겨울 시즌 여행이라면 두꺼운 외투는 공항의 보관 서비스를 이용하자.

#숙소 위치

나트랑 해변을 따라 조성된 고급 호텔, 리조트부터 나트랑 대성당 가는 길에 늘어선 중급 호텔과 저렴한 숙소까지 선택의 폭이 넓다. 전용 해변을 즐길 수 있는 고급 숙소를 찾는다면 남부의 깜라인 지역, 조용한 휴식과 궁극의 럭셔리함을 기대한다면 북부의 닌반베이 지역을 추천한다.

#숙박시설

베트남에서 손꼽히는 대표적인 휴양지인만큼 다양한 숙소가 자리해 있고, 계속해서 새로운 호텔이 생겨나는 덕분에 최신식 시설을 기대할 수 있다. 대부분의 호텔에 수영장과 키즈 카페가 마련되어 있다. 가성비 좋은 숙소부터 최고급 서비스가 완비된 럭셔리 풀빌라까지, 여행의 성격에 맞게 선택해보자.

#대중교통

나트랑 시내와 포나가르 탑, 깜라인 등을 잇는 시내버스가 있다. 요금은 1회 1만 동 내외이며 현금으로 지불하면 된다. 대중교통 요금이 워낙 저렴하기 때문에 버스보다는 택시나 오토바이를 이용하는 게 훨씬 더 편리하다.

#렌터카

베트남에서의 렌터카는 대부분 전용 기사를 포함하는 개념이다. 인원수에 맞는 좌석의 차를 다양하게 빌릴 수 있으며 나만의 루트를 따라 편리하게 여행을 즐길 수 있다.

#현금과 카드

대부분 비자, 마스터 등의 카드 사용이 가능하다. 단 시장이나 일부 식당에서는 카드 사용이 어려운 경우가 있으니 현금을 반드시 준비해가는 것이 좋다. 시내 곳곳에 환전소가 많다.

#나트랑 행 비행기

인천 발 나트랑 행 항공기는 이른 아침이나 새벽 시간대에 많다. 새벽 12시 전후 또는 오후 8시 전후 출발로 소요 시간은 5시간 30분 내외다. 베트남 항공, 비엣젯항공, 한에어, 진에어, 에어서울, 제주 항공, 티웨이항공 등이 취항한다.

#여행 준비물

여권, 항공 E-티켓, 숙소 바우처 사본은 꼭 챙기자. 나트랑은 110V와 220V 둘다 사용 가능해 어댑터가 필요 없다. 휴대용 선풍기, 샌들 또는 슬리퍼, 선 글라스, 자외선 차단제, 모기 퇴치제, 모자도 필수 준비물. 최근에는 휴대용 샤워기 필터를 준비해가는 경우도 많다.

#공유 서비스

그랩은 차량 공유 서비스로 개인 운전자와 손님을 연결해준다. 베트남 여행 중 이용해볼 만하다. 그랩 앱 설치는 GPS 끄기-해외 결제용 카드 등록-GPS 켜기 순서로 하면 된다. 트레블월렛 같은 체크카드는 확인용으로 1,000동 정도 소액 결제 후 재입금된다.

#베나자

네이버 카페 나트랑 1위 커뮤니티인 '베나자'에 가입해 여행 시작부터 마지막까지 준비해보자. 항공, 호텔, 환전, 보험, 여행 상품, 마사지 등의 정보는 물론 현지에서 공항 라운지, 무료 셔틀, 스파 등의 회원 전용 혜택도 누릴 수 있다.

WEATHER

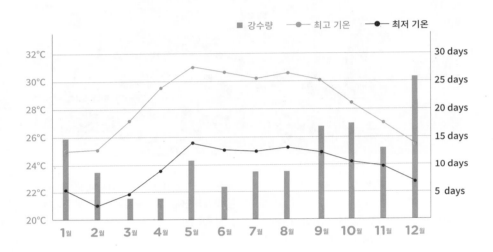

나트랑 날씨 간단히 보기

- 연중 항상 더운 날씨

- 강수량이 가장 많은 10~12월

- 가장 습한 11월
  (월 평균 강수량 300mm,
  강수일 15일)

- 가장 건조한 2월(월 평균 강수량
  10mm, 강수일 2~3일)

- 가장 더운 7월
  (최고 기온 35도, 최저 기온 25도)

- 가장 시원한 1월
  (최고 기온 28도, 최저 기온 21도)

계절

베트남은 남북으로 긴 국토의 특성상 다양한 기후를 자랑하는 곳이지만 전체적으로는 아열대성 기후에 가깝다. 중부에 속하는 나트랑의 기후는 간단히 말해 더운 계절과 더운 데다 습하기까지 한 계절로 나뉜다.

다행히 나트랑은 연중 우기가 2~3개월에 그칠 정도로 매우 짧은 편이다. 우기인 10~12월을 제외하면 늘 화창하고 더운 셈인데, 우리나라의 겨울에 해당하는 12~2월이 그나마 가장 시원한 시기로 꼽힌다.

강수량

몬순기후의 영향으로 강우량이 많고 습도가 높은 편이다. 주변 국가들에 비해서는 조금 기온이 낮은 편

이긴 하지만 일 년 내내 덥기 때문에 계절을 나누는 기준은 기온이 아니라 강수량이다. 연간 강수일은 100일가량이며, 평균 강수량은 1,500~2,000mm, 습도는 약 80%이다. 다낭과 비교하면 나트랑이 좀 더 화창할 때가 많다. 고산지대인 달랏은 화창하다가도 갑자기 먹구름이 몰려오고 소나기가 오는 등 하루에도 날씨가 몇 번씩 바뀐다.

바다 및 해양 스포츠

멋진 해변을 지닌 나트랑에서는 일 년 내내 스노클링, 스쿠버다이빙 등의 해양 스포츠를 즐길 수 있으며, 그중에서도 건기인 4~8월이 피크이다. 하반기에도 태풍이나 비가 심하게 오는 날만 피하면 충분히 바다를 즐길 수 있다. 기온이 떨어지고 쌀쌀한 바람이 부는 1~2월은 피하자. 이때는 운영을 중단하는 액티비티 업체도 많다.

지역별 여행 시기

나트랑

일 년 내내 화창한 날씨라 해도 과언이 아니다. 우기가 있긴 하지만 짧은 편이고 비가 왔다가도 금방 개기 때문에 여행에는 별다른 영향이 없다. 1~2월은 선선한 편이라 관광하기엔 좋지만 해양 액티비티를 즐기기엔 다소 쌀쌀하기 때문에 2~5월이 여행하기에 가장 좋다.

달랏

'영원한 봄의 도시'라는 수식어만큼이나 일 년 내내 따뜻한 봄 날씨다. 언제 방문해도 좋지만, 12~3월에는 늦봄 날씨에(20~23도) 꽃이 만개한 풍경을 감상할 수 있어 여행하기에 그만이다. 우기는 5월부터 시작되는데 보통 가장 더운 한낮에 잠깐 강우가 내리고 금세 개기 때문에 청량하게 느껴진다.

BEST COURSE

COURSE 01

나트랑 3박 5일 기본 코스

대한항공 기준 밤 입국 / 새벽 귀국

DAY 1 나트랑 도착

23:00 깜라인 국제공항 —택시 50분→ 숙소 체크인

DAY 2 나트랑 시내

11:00 나트랑 해변 산책 —도보 5분→ 11:30 쩜흐엉 타워 —도보 5분→ 12:00 나트랑 센터 쇼핑 및 점심식사 —차량 15분→ 14:00 롱선사 —차량 10분→ 16:00 나트랑 대성당 —차량 10분→ 17:00 CCCP 카페에서 휴식 —차량 10분→ 19:00 짜오마오에서 저녁식사 —도보 10분→ 20:00 나트랑 야시장 구경 —도보 15분→ 21:00 스카이라이트

> **OH! MY TIP**
> 불교사원들은 음력 1일과 15일에 문을 닫는다. 롱선사 방문 전에 음력 날짜를 반드시 확인하자.
> 나트랑 대성당 내부는 점심시간(11:00~14:00)에 입장이 제한될 수 있으니 참고하자.

DAY 3 호핑 투어

8:00 숙소 픽업 → 9:30 호핑 투어 → 15:00 숙소 도착 후 휴식 → 18:00 안 키친에서 저녁식사 —도보 5분→ 20:00 세일링 클럽에서 하루 마무리

DAY 4 빈원더스

9:00 빈원더스에서 보내는 하루 —차량 15분→ 18:00 숙소 도착 —도보 10분→ 19:00 라냐에서 저녁식사 —도보 10분→ 20:00 망고 스파 앤드 네일에서 마사지 받기

DAY 5 나트랑 근교

10:00 포나가르 탑 —차량 10분→ 11:00 혼쫑 곶 —차량 10분→ 12:00 근처 해산물 레스토랑에서 점심식사 —차량 20분→ 14:00 아미아나 머드 스파 —차량 10분→ 16:00 담 시장에서 쇼핑 —차량 10분→ 18:00 라이 하이산에서 저녁식사 —도보 5분→ 20:00 해피 비치 —차량 50분→ 21:30 공항

> **OH! MY TIP**
> 마지막 날에는 체크아웃 후 이동해야 하므로 짐을 가지고 이동할 수 있는 '나트랑 체크아웃 투어'를 이용하는 것도 좋은 방법이다.

DAY 6 귀국

나트랑 출발 → 인천공항 도착

나트랑·달랏 5박 7일 코스

DAY 1 나트랑 도착

23:00 깜라인 국제공항 ──택시 50분──> 숙소 체크인

DAY 2 나트랑 시내

11:00 나트랑 해변 산책 ──도보 5분──> 11:30 쩜흐엉
타워 ──도보 5분──> 12:00 나트랑 센터 쇼핑 및
점심식사 ──도보 5분──> 14:00 안 카페 ──차량 15분──>
16:00 포나가르 탑 ──도보 5분──> 17:00 아미아나
머드 스파 ──차량 10분──> 19:00 라이 하이산에서
저녁식사 ──도보 10분──> 20:00 나트랑 야시장 구경
──도보 15분──> 21:00 스카이라이트

DAY 3 달랏 1일차

9:00 나트랑 출발 ──버스 3~4시간──> 12:00 르 샬레
달랏에서 점심식사 ──도보 5분──> 14:00 크레이지
하우스 ──차량 15분──> 15:30 바오다이 여름별장
──차량 5분──> 16:00 로빈 힐 ──케이블카 10분──>
16:15 죽림선원 ──차량 5분──> 17:00 다딴라 폭포
──차량 20분──> 19:00 야시장 구경

DAY 4 달랏 2일차

9:00 랑비앙 산 ──차량 30분──> 12:30 퍼 히우에서
점심식사 ──> 3:30 달랏 기차역 ──차량 20분──>

14:30 린프억 사원 ──차량 20분──> 15:30 달랏
시내로 돌아와 나트랑으로 출발 ──버스 3~4시간──>
19:00 나트랑 도착 후 짜오마오에서 저녁식사
──도보 10분──> 20:00 망고 스파 앤드 네일에서
마사지 받기

> **OH! MY TIP**
>
> 달랏-나트랑 버스표 예매 후 버스 출발 시간에 맞게
> 이동하자(짐은 숙소에 맡길 것).

DAY 5 나트랑 호핑 투어

8:00 숙소 픽업 ──> 9:30 호핑 투어 ──> 15:00
숙소 도착 후 휴식 ──> 18:00 안 키친에서
저녁식사 ──도보 5분──> 20:00 세일링 클럽에서
하루 마무리

DAY 6 나트랑 시내

오전 호텔 휴식 및 체크아웃 ──> 12:30 랑
응온에서 점심식사 ──차량 10분──> 14:00 롱선사
──차량 10분──> 16:00 나트랑 대성당 ──차량 10분──>
17:00 CCCP 카페에서 휴식 ──차량 10분──> 19:00
라냐에서 저녁식사 ──도보 10분──> 20:30 풋 마사지
──차량 50분──> 공항 샌딩

DAY 7 귀국

나트랑 출발 ──> 인천공항 도착

베나자 추천 4박 5일 코스

비엣젯(VJ839) 기준 새벽 도착 / 밤 귀국(VJ838)

DAY 1 나트랑 도착

WITH 베나자 얼리 모닝 투어

1:50 인천 출발 ⟶ 5:00 깜라인 국제공항 도착
⟶ 6:30 베나자 트래블 라운지 공항점 ⟶
베나자 투어 차량 50분 ⟶ 7:30 아침 식사
(현지식) ⟶ 9:00 시내 환전소 ⟶ 10:00
콩 카페 ⟶ 11:00 롯데마트 골드코스트점 쇼핑
⟶ 12:00 베나자 제휴 스파 ⟶ 13:30 라냐에서
점심식사(현지식) ⟶ 15:00 숙소 체크인

DAY 2 스노클링

WITH 베나자 마린 스노클링 투어

8:00 숙소 픽업 ⟶ 혼문 섬 스노클링 ⟶ 담베이
스노클링 ⟶ 점심식사(한식 도시락) ⟶ 혼째
섬 ⟶ 15:00 숙소 드롭

OH! MY TIP

체험 다이빙, 펀다이빙, 패러세일링은 선택 옵션으로 체험 가능하다. 펀다이빙은 오픈 워터 자격증 소지자만 가능하다.

DAY 3 호캉스 BY 베나자 추천 호텔

깜라인 공항 인근
커플 여행자: 미아, 아나만다라, 더 아남,
가족 여행자: 알마 리조트, 멜리아 깜라인 롱 비치,

모벤픽
올인 클루시브: 셀렉텀 노아

시내 근처
커플 여행자: 인터컨티넨탈 나트랑, 포티크,
시에스타
가족 여행자: 빈펄 나트랑 베이 리조트, 빈펄
비치프론트, 아미아나

DAY 4 나트랑 시내

WITH 베나자 원데이 시내 투어

11:30 숙소 픽업 ⟶ 12:00 안 키친에서
점심식사(한식당) ⟶ 13:00 나트랑 대성당 ⟶
14:00 롱선사 ⟶ 15:00 담 시장 ⟶ 16:00
포나가르 탑 ⟶ 17:00 혼쫑 곶 ⟶ 18:00
씨클로 체험 ⟶ 18:30 호아 수에서 저녁식사
(현지식) ⟶ 19:30 해피 비치 ⟶ 숙소 드롭

DAY 5 귀국 WITH 로얄 살롱

12:00 체크아웃 ⟶ 12:30 라냐에서 점심 식사
(현지식) ⟶ 14:00 로얄 살롱 ⟶ 16:05 깜라인
공항 출발 ⟶ 22:45 인천공항 도착

OH! MY TIP

마지막 날은 로얄 살롱에서 짐 보관, 웰컴티, 족욕, 오이 팩, 귀청소, 마사지까지 풀 케어 서비스를 받아 보자. <오! 마이 나트랑·달랏> VIP 카드 소지 시 할인 받을 수 있다.

베나자 추천 4박 5일 코스

베트남항공(VN441) 기준 아침 도착 / 새벽 귀국(VN440)

DAY 1 나트랑 도착

WITH 베나자 판랑 사막 투어

6:20 인천 출발 ──▶ 9:20 깜라인 국제공항
도착 ──▶ 11:00 베나자 트래블 라운지 공항점
　　　베나자 투어 차량 50분
──▶ 12:00 양 목장 ──▶ 13:00
점심식사(쌀국수) ──▶ 14:00 쯩선 사원 ──▶
16:00 사막 지프 투어 ──▶ 17:00 현지 카페 ──▶
18:00 저녁식사 ──▶ 20:00 숙소 체크인

OH! MY TIP

나트랑은 밤부터 새벽까지 도착
항공편이 많다. 밤 또는 새벽 입국
시 시간을 줄이고 싶다면 패스트
트랙을 이용해보자. 패스트트랙
은 항공사 직원들이 이용하는 전용 라인으로 빠르
게 입국 심사를 받을 수 있는 옵션 상품(성인 14,900
원, 아동 7,900원)이다.

DAY 2 스노클링

WITH 베나자 어메이징 미니 비치 호핑 투어

8:00 숙소 픽업 ──▶ 10:30 혼째 섬 스노클링
──▶ 11:00 혼문 섬 스노클링 ──▶ 12:00 혼땀 섬
점심식사(현지식) ──▶ 12:30 미니 비치 자유 시간
──▶ 15:30 호텔 드롭

DAY 3 호캉스

DAY 4 달랏 WITH 베나자 달랏 1일 투어

8:00 코모도 호텔 앞 집결 ──▶ 11:00 린프억 사원
──▶ 12:00 텅룽덴 카페 ──▶ 13:00 점심식사
(현지식) ──▶ 14:00 달랏 기차역 ──▶ 15:00
바오다이 여름별장 ──▶ 16:00 크레이지 하우스
──▶ 17:00 달랏 대성당 ──▶ 18:00 저녁식사 및
야시장 자유 시간 ──▶ 21:30 코모도 호텔 드롭

DAY 5 귀국 WITH 베나자 체크아웃 투어

12:00 체크아웃 ──▶ 12:30 숙소 픽업 ──▶ 13:00
점심식사 ──▶ 14:00 포나가르 사원 ──▶ 15:00
나트랑 대성당 ──▶ 16:00 롱선사 ──▶ 17:00
아이리조트 머드 스파 ──▶ 18:00 안 키친에서
저녁식사(한식) ──▶ 19:00 나트랑 야시장 ──▶
19:30 스카이라이트 ──▶ 21:25 깜라인 공항 출발
──▶ 4:30 인천공항 도착

나트랑·달랏 추천 투어

시내 투어나 근교 방문 시 개별 이동보다는 투어 프로그램을 이용하는 것이 시간과 비용면에서 효율적이다. 네이버 나트랑 여행 대표 카페 베나자의 투어 프로그램을 이용해보자. 전용 차량 등 다양한 프로모션 혜택이 마련되어 있다.

나트랑 하프데이 시내 투어

나트랑의 주요 명소를 한나절에 둘러볼 수 있으며 일정에 따라 오전·오후 중 선택 가능하다. 한국어 가이드, 입장료, 점심 또는 저녁식사 비용이 포함된다(추가 음료 불포함).

오전 일정: 7:50~13:30
코모도 호텔 출발 ──→ 포나가르 탑 ──→ 담 시장 ──→ 롱선사 ──→ 나트랑 대성당 ──→ 점심식사(현지식) ──→ 코모도 호텔 도착

오후 일정: 14:45~18:30
코모도 호텔 출발 ──→ 포나가르 탑 ──→ 나트랑 대성당 ──→ 롱선사 ──→ 롯데마트 ──→ 저녁식사 ──→ 코모도 호텔 도착

나트랑 원데이 시내 투어

나트랑 시내의 주요 명소를 둘러보고 씨클로까지 체험할 수 있다. 점심 및 저녁식사 비용, 입장료, 씨클로 체험 비용이 포함된다(추가 음료 불포함).

일정: 11:30~19:30
공항 픽업 ──→ 점심식사(안 키친) ──→ 나트랑 대성당 ──→ 롱선사 ──→ 담 시장 ──→ 포나가르 탑 ──→ 혼쫑 곶 ──→ 씨클로 체험 ──→ 저녁식사(현지식) ──→ 해피 비치

나트랑-달랏 원데이 투어

나트랑에서 출발해 달랏을 둘러볼 수 있다. 한국인 가이드가 진행하며, 입장료와 이동 차량이 포함된다. 음료, 점심 및 저녁식사, 숙소 픽업 및 드롭 서비스는 불포함이다.

일정: 7:50~

코모도 호텔 출발 ⟶ 린프억 사원 ⟶ 텅룽덴 카페 ⟶ 점심식사 ⟶ 달랏 기차역 ⟶ 바오다이 여름별장 ⟶ 크레이지 하우스 ⟶ 달랏 대성당 ⟶ 저녁식사 및 야시장 자유 시간 ⟶ 코모도 호텔 도착

얼리 모닝 투어

나트랑에 오전 일찍 도착하는 경우 호텔 체크인 전까지 투어를 즐길 수 있다. 공항 픽업 후 투어가 시작되며 호텔 드롭 서비스가 포함된다. 한국어 가이드가 진행하며 60분 마사지가 포함된다.

새벽 일정(VJ839편): 6:30~13:00

공항 픽업 ⟶ 아침식사 ⟶ 콩 카페 ⟶ 롯데마트 ⟶ 마사지숍 ⟶ 점심식사 ⟶ 숙소 드롭

오전(VJ837, VN441편) 일정: 10:40~15:40

공항 픽업 ⟶ 우드 카페 ⟶ 롯데마트 ⟶ 마사지숍 ⟶ 점심식사 ⟶ 숙소 드롭

체크아웃 투어

숙소 체크아웃 후 공항에 가기 전까지 마지막 하루를 알차고 완벽하게 즐길 수 있다. 미리 갈아 입을 옷을 챙겨서 차량에 탑승하는 게 좋으며, 짐은 공항에 도착할 때까지 차량에 보관할 수 있어 편하다. 한국어 가이드, 입장료, 점심과 저녁식사 비용이 포함된다(마사지 불포함).

일정: 12:30~20:30

숙소 픽업 ⟶ 롱선사 ⟶ 나트랑 대성당 ⟶ 포나가르 탑 ⟶ 아이리조트 온천 ⟶ 야시장 ⟶ 스카이라이트 또는 쉐라톤 라운지 ⟶ 마사지 ⟶ 공항 도착

나트랑·달랏 일정짜기 노하우

1 구체적인 일정 확보하기

비행기표를 구입하는 순간 여행의 첫 단계가 시작된다. 3박 일정인지 일주일 이상의 일정인지, 밤에 도착하는지 낮에 도착하는지, 마지막 날 공항으로 떠나야 할 시간은 몇 시인지 구체적인 사항을 체크하자. 보통 나트랑에는 늦은 오후에 도착하고 귀국 시에는 새벽에 출발하기 때문에 그에 맞게 픽업·샌딩 서비스, 호텔 위치를 정하는 것이 중요하다.

2 나만의 여행 테마 선택하기

다른 여행지와 마찬가지로 나트랑에도 반드시 들러야 할 명소, 먹어봐야 할 음식이 있다. 그러나 남들이 좋다고 해서 내게도 만족스러우리란 법은 없다. 더욱이 한정된 일정에 모든 것을 몰아넣다간 여행 전체를 그르치게 될지도 모른다. 나에게 가장 끌리는 테마가 무엇인지 골라보자. 멋진 풍경을 배경으로 사진 찍기, 해양 액티비티 즐기기, 유유자적 호캉스 즐기기, 1일 1마사지 달성하기, 하루에 5끼씩 먹방 투어하기 등 즐길 거리는 무궁무진하다.

3 누구와 함께 여행하는지 고려하기

가족끼리, 친구끼리, 연인끼리 다양한 여행객들이 찾는 매력적인 여행지 나트랑. 친구와 함께 와보고 좋았던 기억을 나누고 싶어 다음 여행엔 부모님을 모시고 오게 될 수도 있다. 이때 유념할 점은, 누구와 함께하느냐에 따라 일정이 달라져야 한다는 것이다. 부모님과 함께하는 여행이라면 당연히 동선을 최소화해야 할 것이고, 아이들과 함께하는 여행이라면 물놀이를 하더라도 안전이 확보된 장소여

야 할 것이다. 친구끼리의 여행이라도 서로의 체력과 취향을 고려해 일정에 반영하는 것이 좋다.

4 아열대기후를 우습게 보지 말 것

연중 언제 방문하더라도 베트남은 덥다. 특히 한여름 한낮의 태양은 외부활동에 지장이 있을 정도로 뜨겁다. 일정을 짤 때 간과하는 점이 하루에 최대한 많은 것을 체험하기 위해 아침 일찍부터 밤늦게까지 빽빽하게 스케줄을 채운다는 것인데, 몸이 힘들면 무엇이든 여유롭게 즐길 수 없는 법이다. 햇빛이 가장 뜨거운 시간에는 시원한 카페에 들어가 더위를 식히거나 숙소로 돌아와 휴식을 취하자. 호텔 수영장에서 물놀이를 즐기거나 잠시 낮잠을 자는 것도 좋다.

5 오픈 시간과 쉬는 시간을 체크할 것

베트남의 일부 관광지나 관공서의 경우 더운 날씨 때문에 점심시간을 2시간 이상 두기도 한다. 외국인 여행객에게 낯선 공휴일도 있는 만큼, 사전에 인터넷이나 호텔 컨시어지 등에서 오픈 시간을 확인해놓자.

6 투어 프로그램 100% 활용하기

나트랑에서는 다양한 액티비티와 투어 프로그램을 만나볼 수 있다. 스노클링, 씨워킹, 스쿠버다이빙 등의 해양 스포츠를 저렴하게 즐길 수 있는 투어는 물론, 시내 관광과 근교의 역사 유적지를 하루만에 둘러보는 1일 투어도 인기가 좋다. 일일이 정보를 찾아보고 예약하는 수고를 덜어줄 뿐만 아니라 개인 여행객들은 찾기 힘든 멋진 스폿에 가볼 수 있다는 것도 장점이다. 최근에는 한국인 관광객 전담 여행사들이 크게 늘어 한국어 가이드를 동반한 투어가 점점 늘고 있는 추세다. 투어 일정이 확정되면 나머지 일정에 투어로 갈 수 없었던 스폿들을 넣어보는 식으로 루트를 짜보자.

7 일정에도 강약이 필요하다

어쩔 수 없이 아침 일찍부터 밤늦게까지 강행군을 해야 하는 일정이라면 적어도 다음 날 점심까지는 여유를 두는 것이 좋다. 늦잠을 자거나 호텔 수영장 선베드에서 책을 읽거나 마사지로 피로를 푸는 것도 좋다. 반드시 무엇을 보고 어디를 가야만 여행이 아니라는 것을 기억하자. 놀고 쉬고 사색하는 그 모든 시간이 모여 오래 기억에 남을 행복한 여행이 완성된다.

알뜰 여행 노하우

1 어디에 투자할 것인가

자신의 여행 스타일에 맞게 예산을 투자하는 지혜가 필요하다. 쾌적한 잠자리가 중요하다면 숙박비, 먹는 데 돈을 아끼지 않는 미식가라면 식비에 투자하자. 관광이나 액티비티를 즐기는 경우 투어비에 예산을 아끼지 말자.

2 예산의 시작은 항공권 발권

나트랑과 달랏에 취항하는 항공편은 다시 늘어나는 추세이며, 국적기부터 저가항공사까지 가격대가 다양하다. 국적기의 경우 저렴하게는 40만 원대부터 성수기 70만 원대 까지, 저가항공사의 경우 30~40만 원대에 항공권을 구입할 수 있다. 프로모션을 잘 이용하면 더 저렴하게도 가능하다.

OH! MY TIP

쉬운 환율 계산법
KRW(원)-VND(동) 간의 간편 환율 계산법은 1/20이다. 동에서 0을 하나 빼고 절반으로 나누면(100,000동 = 5,000원) 된다. 또한 인터넷 검색을 통해 베트남 지폐를 분류해서 수납할 수 있는 '동 지갑'을 구입하거나 만들어볼 수 있다.

3 어떻게 환전하는 게 좋을까?

베트남 돈 1만 동은 우리나라 돈 560원 정도로, 50만 원을 환전하면 약 880만 동을 받게 된다. 단 우리나라에서 바로 베트남 화폐로 환전하면 약 50만 동가량 손해를 보게 된다. 따라서 먼저 원을 달러로 바꾼 후에 베트남 현지에서 동으로 환전하는 이중 환전을 추천한다. 웬만한 여행사나 숙소에서는 달러나 원을 취급하므로 소액의 달러만 베트남 동으로 바꿔서 사용하기를 권한다. 환율은 작은 단위의 화폐보다 100달러 단위가 유리하다.

4 지불 전 반드시 확인하자

베트남 화폐는 크기와 색상의 차이가 있지만 모두 호찌민 주석이 그려져 있어 헷갈리기 쉽다. 10만 동과 50만 동의 경우 비슷한 초록색이라 어두운 곳에서는 구분하기 어려우니 반드시 숫자를 꼼꼼히 확인하고 지불하자. 훼손된 지폐는 거래가 불가능할 수 있으니 거스름돈을 받은 후에는 지폐 상태를 잘 확인할 것.

5 현지 물가 미리 알기

숙박: 중저가 호텔 30만~80만 동, 리조트 150만~250만 동, 풀빌라 300만~900만 동
교통비: 나트랑 공항 - 나트랑 시내 택시비 40만~60만 동, 그랩 오토바이 2km당 1만 2천 동, 렌터카 30~70달러(기사 포함 가격)
관광비: 빈원더스 입장료 88만 동, 호핑 투어 40만~90만 동
먹을거리: 반미 샌드위치 3만~6만 동, 쌀국수 3만~8만 동, 해산물 40만~100만 동, 바비큐 30만~60만 동
음료 및 디저트: 베트남 커피 2만~4만 동, 쩨 2만~3만 동, 아이스크림 2만~4만 동

베나자 시티 트래블 라운지

베나자 시티 트래블 라운지에서는 베나자 회원과 <오! 마이 나트랑·달랏> 독자를 위해 다양한 편의 서비스를 제공한다. 베나자 셔틀 정류장, 무료 공항 조인 샌딩 장소로도 사용되니 나트랑 여행 중 한번 들러보자.

베나자 트래블 라운지 시내점

ADD 2 Ng. Đức Kế, Tân Lập, Nha Trang
OPEN 9:00~23:00

혜택 및 서비스

· 시내 샌딩 대기 장소
· 당일 무료 짐 보관 서비스
· 우산 무상 대여
· 환전·유심 판매·무료 와이파이
· 유모차·대형 튜브 대여 서비스
· 시티맵 제공 서비스

베나자 무료 셔틀버스

30인승 버스 2대가 깜라인 지역부터 빈펄, 나트랑 시내 등 모든 지역을 하루 종일 무료로 왕복 운행한다. 베나자 실물 VIP 카드 소지자 또는 베나자 VIP 카드 모바일 교환권 소지자, 『오! 마이 나트랑·달랏』 VIP 카드 소지자에 한해 무료 탑승이 가능하다. 한 명만 VIP 카드를 소지해도 일행 전부 탑승 가능하다.

셔틀버스 노선도

베나자 시티 트래블 라운지 ⟶ 깜라인
(첫차 10:00, 막차 22:00)
그랜드 스파 ⟶ 베나자 시티 트래블 라운지 ⟶
미아 리조트 ⟶ 디 아남 리조트 ⟶ 셀렉텀 노아 리조트
⟶ 알마 리조트 ⟶ 퓨전 리조트 ⟶ 모벤픽 리조트

깜라인 ⟶ 베나자 시티 트래블 라운지
(첫차 11:30, 막차 20:00)
모벤픽 리조트 ⟶ 퓨전 리조트 ⟶ 알마 리조트 ⟶
셀렉텀 노아 리조트 ⟶ 디 아남 리조트 ⟶ 미아 리조트
⟶ 베나자 시티 트래블 라운지 ⟶ 그랜드 스파

미리 만나는 나트랑·달랏

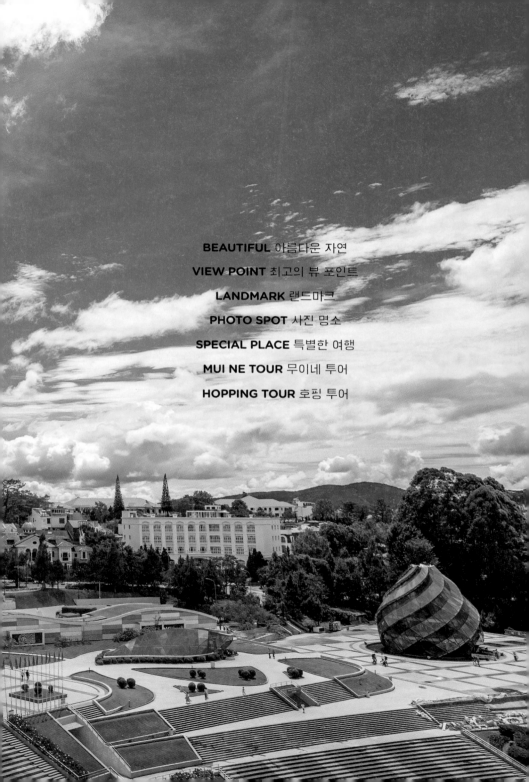

BEAUTIFUL

01

나트랑 비치 Nha Trang Beach
6km에 달하는 유려한 해안선을 따라 늘어선 높게 솟은 야
자수 아래 해변 공원에서 여유롭게 운동을 즐기고, 럭셔리
호텔과 리조트에서 휴식과 액티비티를 즐겨보자. P156

02

바이다이 비치 Bai Dai Beach
10km가 넘는 긴 해변이다. 나트랑 비치에 비해 시
내와의 접근성이 좋지는 않지만 그만큼 깨끗하고 아
름다워, 해수욕을 즐기는 관광객들이 점점 늘고 있
다. P166

다딴라 폭포 Datanla Waterfall
달랏의 폭포 중 가장 유명한 곳으로 시내에서 6km
정도 떨어져 있다. 계곡을 따라 즐기는 액티비티인
캐녀닝과 알파인코스터를 즐길 수 있다. P205

쑤언흐엉 호수 Xuan Hương Lake
달랏 중심에 자리잡은 대형 인공호수이다. '봄의 향
기'란 이름처럼 근처에 달랏 꽃 정원이 있어 일 년
내내 꽃 향기를 만끽할 수 있다. P198

VIEW POINT

롱선사 Long Son Pagoda
152개 계단을 오르면 엄청난 길이의 와불상과 언덕 꼭대기에 자리한 24m 높이의 거대 좌불상이 모습을 드러낸다. 불상 뒤로 화려한 나트랑 시내와 그 너머의 바다 풍경이 한눈에 내려다보인다. P158

01

02

혼쫑 곶 Hon Chong
드넓게 펼쳐진 바다를 배경으로 우뚝 솟은 거대한 바위는 그 자체만으로도 잊을 수 없는 볼거리다. 혼쫑 곶 북쪽, 꼬띠엔 산의 전경과 일몰을 감상하며 웅장한 파도소리에 마음을 맡겨보자. P160

03

랑비앙 산 Langbiang Mountain
해발 2,169m 고지 아래로 펼쳐지는 장관은 그야말로 탄성을 자아낸다. 달랏 시내에서 조금 떨어져 있지만 '달랏의 지붕'이라는 별칭만큼 상징적인 의미를 지니는 곳이다. P203

04

로빈 힐 Robin Hill
달랏 시내 남쪽에 위치한 1,517m 높이의 언덕이다. 뒤로는 고산지대와 울창한 숲이 펼쳐져 있고 앞으로는 달랏 시내 전망이 펼쳐진다. 케이블카를 이용할 수 있어 가족 여행자에게 좋고, 인생 사진도 남길 수 있다. P200

LANDMARK

랜드마크

01

쩜흐엉 타워 Thap Tram Huong
일명 '핑크 타워'로 베트남전쟁 승전 기념으로 세워 졌다. 베트남 국화인 연꽃을 형상화한 외관부터 눈 길을 사로잡는데, 다양한 조각 장식과 화려한 조명 덕분에 밤에 더 아름답다. P157

02

나트랑 대성당
Nha Trang Mountain Church
나트랑에서 가장 크고 아름 다운 성당이다. 거대한 예배 당으로 들어서면 화려한 스 테인드글라스 창문으로 쏟아 져 들어오는 빛과 특유의 고요 한 분위기가 마음을 사로잡는 다. P157

포나가르 사원 Po Nagar Cham temple
8~11세기 참파 왕국이 지어올린 사원으로 현재까지 남아 있는 참파 관련 유적 가운데 가장 오래됐다. 내부에는 11세기 중반에 만든 포나가르 여신상과 제단이 설치되어 있다. P159

린프억 사원 Linh Phuoc Pagoda
도시에서 수집한 도자기 조각으로 화려하게 장식한 불교사원으로, 모자이크 사원으로도 불린다. 1952년 완공되었으나 전쟁으로 파괴되었고 1990년에 지금의 모습으로 재건되었다. P202

PHOTO SPOT

01

크레이지 하우스 Crazy House
스페인의 건축가 가우디의 건축물을 연상케 하는 곳으로 베트남 건축가 당 비엣 응아의 작품이다. 세상에서 가장 창의적인 건물 10곳 중 하나로 꼽히기도 했다. P199

02

달랏 기차역 Dalat Railway
프랑스 식민 시기에 지어진 기차역으로 과거 나트랑과 호찌민을 연결하던 노선에 자리한다. 베트남전쟁으로 파괴되었으나 1991년 7km의 노선이 복원된 후 린프억 사원을 오가는 관광열차가 운행하고 있다. P196

호아손 국립공원 Hoa Sơn Dien Trang
달랏 최고의 포토 스폿. 나무를 엮어 만든 '거대한 부처의 손' 조형물은 인기 촬영지라 대기줄이 길 때가 많다. P204

03

클레이 터널 Clay Tunnel
달랏이 발견된 시점부터 지금까지 달랏을 상징하는 다양한 진흙 조형물을 만날 수 있다. 즐겁게 사진을 찍을 포토존이 많다. P206

04

05

바오다이 여름별장 Bao Dai Summer Palace

베트남의 마지막 왕인 바오다이의 여름 별장으로 1938년
완공된 프랑스풍 고급 빌라다. 25개의 룸과 프랑스식 정원,
왕족이 사용했던 가구와 생활용품이 보존되어 있다. P197

06

달랏 꽃 정원
Dalat Flower Garden

쑤언흐엉 호수 북쪽에 위치한 2
천여 평 규모의 꽃 정원이다. 정
원, 호수, 풍차, 꽃시계 등 다양한
볼거리들이 마련돼 있어 산책하
며 사진 찍기 좋다. P198

LOCAL MARKET

전통시장

담 시장 Dam Market
나트랑에서 가장 큰 규모의 전통시장이다. 중앙 원형 형태의 2층 건물로 기타 생활용품, 채소와 과일, 각종 잡화와 의류 등을 판매한다. 신축 건물에서는 건조 식재품 등을 판매한다. P114

01

달랏 야시장 Da Lat Night Market
달랏의 대표 명소로 밤이 되면 달랏 중앙 광장에 수많은 노점이 들어선다. 반짱느엉, 어묵, 해산물 구이 등 먹을거리가 주를 이룬다. 달랏의 현지 분위기를 느끼기 제격이다. P116

02

ENTERTAINMENT 리조트 & 테마파크

01

빈원더스 나트랑 VinWonders Nha Trang
빈그룹에 소속된 엔터테인먼트 브랜드로 국제 표준의
테마파크를 보유하고 있다. 올인원 놀이공원으로 멀티
미디어 공연 '타타 쇼', 880m 길이의 짚라인 슬라이드,
전설의 정원 등 볼거리가 가득하다. P164

아이리조트 I-Resort
머드 온천과 고급 리조트, 레
스토랑, 테마파크가 결합된 복
합 관광단지다. 나트랑 시내
에서 4km 정도 떨어져 있으
며, 주변이 산과 강으로 둘러
싸여 있어 울창한 자연을 온
전히 느낄 수 있다. P162

02

SECRET

양베이 폭포 Yang Bay Tourism Park
나트랑 3대 온천으로 시내에서 40km 정도 떨어져
있다. 베트남의 자연과 문화를 모두 즐길 수 있어
현지인들도 즐겨 찾는다. P167

01

02

메린 커피 농원 Me Linh Coffee Garden
제대로 된 베트남 커피를 마시고 싶다면 반드시 가
보아야 할 곳이다. 달랏의 아름다운 자연을 바라보
며 커피를 즐길 수 있어 특별하다. P205

지역별 대표 축제

달랏 꽃 축제 Dalat Flower Festival
베트남 사람들이 가장 사랑하는 축제

베트남 민족의 꽃 사랑은 유별나다. 달랏은 고원에 위치해 일 년 내내 봄 날씨인 데다 사시사철 꽃이 만발한데, 그 덕분에 베트남 사람들에게 최고의 휴양지로 손꼽히곤 한다. 달랏 꽃 축제는 그래서 더욱 특별하다. 2005년부터 격년으로 12~1월에 5일간 열리며 쑤언흐엉 호수, 람비엔 광장, 프렌 폭포, 달랏 꽃 정원 등 도시 곳곳의 명소가 갖가지 꽃 장식으로 화려하게 변신한다. 꽃수레 행진, 꽃을 활용한 공연 예술, 미니어처 정원, 대형 꽃바구니, 다양한 종류의 관상용 식물까지 꽃 이벤트의 정점을 체험해볼 수 있다.

기간: 홀수 해 12~1월
장소: 쑤언흐엉 호수, 람비엔 광장, 프렌 폭포, 달랏 꽃 정원 등

포나가르 축제 Po Nagar Festival
3일간 열리는 특별한 축제

농업 기술을 가르치는 여신 포나가르를 숭배하는 민속전통축제로 2013년 유네스코에 의해 국가무형문화유산으로 지정되었다. 매년 4월 말(음력 3월 20~23일) 포나가르 사원에서 열리며 포나가르 동상 씻기기, 참파 왕 의상 입기, 전통 춤과 노래 공연, 강물에 소원초 띄우기 등 다양한 행사가 열린다. 관광객뿐만 아니라 현지인들도 많이 참여해 가족의 평안과 행운을 기도한다.

나트랑 바다 축제 Nha Trang Sea Festival
나트랑의 자연과 문화를 만끽하는 시간

아름다운 해변을 품은 나트랑에서 2년에 한 번 개최하는 대규모 축제이다. 해양문화도시로서의 면모를 세계에 알리기 위해 카인호아 성 주관으로 개최되는 글로벌 축제로, 우리나라를 포함한 세계의 다양한 공연 팀이 초청되어 수준 높은 무대를 선보인다. EDM 파티, 플래시몹 등 무려 50여 가지 즐길 거리로 나트랑 비치를 비롯한 쩐푸 거리 일대가 들썩인다.

기간 홀수 해 5~6월   장소 나트랑 비치, 쩐푸 거리

나트랑·달랏 스페셜 투어

마린 스노클링 투어

한국인 가이드가 동행하는 투어로 현지 가이드 및 한국인 강사 전원이 PADI 스쿠버 자격증을 보유하고 있다. 전문 다이빙 강사와 함께 스노클링을 즐길 수 있으며, 오픈워터 자격증 이상 소지자는 체험 다이빙 및 펀다이빙도 옵션으로 체험할 수 있다.

OPEN 8:00~15:00(6시간)
COURSE 숙소 픽업 → 혼탐 섬 마돈나 바위 포인트(1차 스노클링) → 혼베이 2차 스노클링 → 점심식사 → 숙소 드롭 *시내 지역 무료, 리조트 지역 추가 요금 발생

어메이징 스노클링 투어

에메랄드빛 혼째 섬 인근 포인트, 혼문 섬 인근 포인트, 아름다운 혼탐 섬 인근 포인트에서 스노클링을 즐길 수 있다.

OPEN 8:00~15:00(6시간)
COURSE 숙소 픽업 → 3개 섬(혼째, 혼탐, 혼문) 인근 포인트 스노클링 → 점심식사 → 숙소 드롭 *시내 지역 무료, 리조트 지역 추가 요금 발생

스킨스쿠버 & 씨워커 투어

나트랑 해변에서 즐기는 액티비티 투어로, 전문 강사와 동행해 안전하고 초보자도 쉽고 빠르게 배울수 있다. 아름다운 나트랑 바다 속을 걸으며 알록달록 물고기들을 만날 수 있다.

OPEN 8:00~14:00(6시간)
COURSE 숙소 픽업 → 혼문 섬 → 스킨스쿠버 → 씨워커 →
자유 시간 → 점심식사 → 숙소 드롭 *시내 지역 무료, 리조트
지역 추가 요금 발생

베나자 보트 투어

스피드 보트를 이용해 해상 포인트까지 빠르게 이동한다. 혼째, 혼문 섬 인근 포인트에서 스노클링을 즐긴 후 혼탐 섬 해변에서 식사와 자유 시간을 즐길 수 있다. 베나자만의 특별 해물라면도 제공된다.

OPEN 8:30~14:30(6시간)
COURSE 숙소 픽업 → 혼째(1차 스노클링) → 혼문(2차 스
노클링) → 혼탐(자유 시간) → 점심식사 → 숙소 드롭

욜로 호핑 투어

신나는 액티비티와 선상 공연, 칵테일 쇼가 포함된다. 수상가옥에서 즐기는 현지식은 물론 옵션으로 해양 스포츠도 즐길 수 있다.

OPEN 8:00~15:00(7시간)
COURSE 숙소 픽업 → 호핑 포인트 → 수상가옥 점심식사
→ 선상 공연 & 칵테일 쇼 → 혼째 섬 자유 시간 → 숙소 드롭
*시내 지역 무료, 리조트 지역 추가 요금 발생

럭셔리 요트 투어

선상에서 저녁식사를 즐기고 나트랑 시내의 아름다운 야경까지 즐길 수 있는 투어이다. 웰컴 드링크와 선상 핑거 푸드, 맥주는 무제한으로 제공된다.

OPEN 화·목·토 14:30~19:00(4시간 30분)
COURSE 요트 탑승 → 스노클링 포인트 이동 후 호핑 투어
→ 선상 저녁식사 & 나트랑 시내 야경 감상 → 항구 도착 후
개별 이동

럭셔리 디너 크루즈

나트랑에서 가장 큰 유람선에 올라 한껏 여유를 즐겨보자. 20년 넘게 운항 중인 선장의 노하우로 더욱 편안하게 아름다운 나트랑의 밤을 만끽할 수 있다.

OPEN 16:00~21:30(5시간 30분)
COURSE 시내 픽업 → 일몰과 야경 감상 → 선상 공연 → 저녁식사 → 시내 드롭

판랑 사막 투어

무이네보다 가까운 판랑 사막에서 지프차를 타고 사막 체험 및 관광을 할 수 있다. 엄선한 현지 맛집과 카페에서 식사와 휴식도 즐길 수 있다.

OPEN 11:00~20:00(9시간)
COURSE 숙소 픽업 → 양 목장 → 점심식사 → 불교사원 → 사막 지프 → 카페 방문 → 저녁식사 → 숙소 드롭

짚라인 ATV 투어

나트랑에서 차로 1시간 거리의 콩 포레스트에서 짚라인과 ATV를 즐길 수 있다.

OPEN 9:00~13:30(4시간 30분)
COURSE 숙소 픽업 → 콩 포레스트 → 짚라인 → ATV → 숙소 드롭

나트랑 - 무이네 해돋이 지프 투어

공항과 시내에서 픽업하는 투어로 나트랑에서 무이네까지 전용 차량으로 이동한다. 해돋이와 함께 무이네에서 빼놓을 수 없는 화이트 샌듄, 고운 모래에서 썰매를 탈 수 있는 레드 샌듄, 붉은 바위 절벽을 따라 산책을 즐길 수 있는 요정의 샘을 체험할 수 있다.

OPEN 1:00~14:00(13시간) *밤 10~12시 도착 비행편만 가능
COURSE 공항 픽업 → 새벽 식사 → 무이네 도착(4:30) → 화이트 샌듄 → 레드 샌듄 → 요정의 샘 → 아침식사 → 나트랑 이동(14~15시 도착)

나트랑 - 무이네 지프 투어

나트랑에서 무이네까지 전용 차량으로 이동한다. 점심은 무이네 맛집으로 꼽히는 신밧드 케밥, 저녁은 해산물 레스토랑에서 푸짐하게 즐길 수 있다.

OPEN 8:00~24:00(16시간) *차량 이동 왕복 8시간 소요
COURSE 점심식사 → 요정의 샘 → 화이트 샌듄 → 레드 샌듄 + 포토 스폿 → 저녁식사 → 숙소 드롭

혼탐 머드 온천 투어

나트랑 바다에서 스피드 보트를 이용해 혼탐 섬으로 이동한다. 머드 온천과 바다가 보이는 수영장에서 자유 시간을 가질 수 있다.

OPEN 8:00~ 14:00(6시간)
COURSE 숙소 픽업 → 선착장에서 배 탑승 → 혼탐 섬 머드 온천 → 점심식사 및 자유 시간 → 숙소 드롭

아이리조트 머드 온천 투어

나트랑의 필수 코스로 자연 머드 온천과 시원한 마사지까지 즐길 수 있다. 단독 탕으로 진행되며 수영장도 함께 이용할 수 있다. 한국인이 직접 운영해 소통이 편한 마사지를 옵션으로 선택할 수 있다.

OPEN 12:00~16:00(4시간)
COURSE 숙소 픽업 → 점심식사 → 아이리조트 온천 → 마사지숍(옵션) → 숙소 드롭

OH! MY TIP

'여행하기 좋은날' 여행사에서 제공하는 나트랑과 달랏 스페셜 투어 프로그램을 이용해보자. 다채로운 매력의 나트랑과 달랏을 경험할 수 있다.

MUI NE TOUR

무이네 투어

레드 샌듄 Red Sand Dunes
거대한 해안사구로 모래가 붉은색을 띠어 이
와 같은 이름이 붙었다. 나트랑의 일몰 명소
로 바다와 사막을 한번에 볼 수 있다. P208

01

02

화이트 샌듄 White Sand Dunes
모래언덕에서 최고의 일출을 경험해보
자. ATV나 모래 썰매를 즐길 수 있어 가
족 여행자에게도 좋다. P208

03

피싱 빌리지 Fishing Village
무이네 해변 동쪽 끝에 자리한 작은 어촌이다. 바다에 형형색색 배와 작은 대바구니로 만든 전통 배들이 떠 있는 모습이 이국적이다. 아침에는 수산시장이 열린다. P209

04

요정의 샘 Fairy stream
이국적인 모습의 붉은 협곡으로 '동양의 그랜드캐니언'이라고도 불린다. 신발을 벗고 모래를 밟으며 시원한 물길을 걸을 수 있다. P209

SPECIAL 짜릿하게 즐기는 액티비티

스노클링 snorkeling

나트랑 바다의 총천연색 아름다움을 손쉽게 경험할 수 있는 가장 좋은 방법이다. 나트랑 해변에서 혼탐, 혼문 등 근교 섬까지 배를 타고 가면 스노클링을 즐길 수 있다. 스노클링 준비(스노클, 구명조끼, 오리발 등)에 대한 부담이 있다면 장비 일체를 대여해주는 투어를 이용해보자.

스쿠버다이빙 scuba diving

수중 호흡기를 몸에 부착하고 물속으로 들어가는 액티비티로 깊은 바다를 즐기기 제격이다. 챙겨야할 장비가 복잡하기 때문에 전문 투어 프로그램을

이용하는 것이 좋다. 입수 전 교육을 받고 강사와 함께 수중으로 들어가기 때문에 안전하다.

씨워커 seawalker

무거운 산소 탱크 대신 산소가 공급되는 헬멧을 착용하고 사다리를 타고 내려가 바닷속을 걷는 프로그램이다. 얼굴이 젖지 않는 특수 헬멧을 착용하기 때문에 수영을 못하는 사람도 즐길 수 있다. 사전 교육은 물론 강사가 동행하기 때문에 안전하다.

패러세일링 parasailing

특수 낙하산을 메고 스피트 보트에 매달려 하늘로

날아오르는 액티비티. 스피드 보트의 속도에 따라 높이 올라갈수록 상쾌함이 배가 된다. 나트랑의 에메랄드빛 바다와 파란 하늘을 동시에 즐길 수 있다.

래프팅 rafting

풍부한 수량을 자랑하는 계곡이나 강에서의 래프팅도 나트랑에서 빼놓을 수 없는 인기 액티비티다. 나트랑 북부를 지나가는 카이 강 래프팅은 스릴을 즐기는 젊은 여행객들에게 반응이 좋다. 래프팅 투어를 통해 참여할 수 있다.

ATV

역동적인 지상 액티비티로 오프로드 주행이 가능한 사륜차로 바람을 가로지르며 자연을 즐기는 액티비티다. 안전 수칙만 준수하면 운전을 못하는 사람은 물론 아이들도 탈 수 있어 가족 여행자들이 즐기기에 좋다.

짚라인 zip line

케이블 와이어에 이동 도르래 장치를 연결한 후 낙차에 따라 와이어를 타고 반대편으로 활강하는 액티비티다. 숲을 가로지르며 드라마틱한 자연을 느낄 수 있다. 착지 지점에 가까워지면 자연스레 속도가 줄기 때문에 안전하게 즐길 수 있다.

사막 지프 투어 Jeep Tour

무이네의 레드 샌듄, 화이트 샌듄과 판랑 사막 투어 프로그램 이용 시 체험할 수 있다. 창문이 뚫린 지프에서 다이나믹함과 상쾌함을 동시에 즐길 수 있다. 지프 위에 올라가 사진 촬영도 할 수 있는 만큼 사막을 배경으로 인생 사진을 남길 수 있다.

OH! MY TIP

무이네·판랑 사막 지프 투어 예약하기
베나자에서 제공하는 무이네, 판랑 사막 지프 투어를 이용해보자. 나트랑 여행이 더욱 풍성해진다.

HOPPING TOUR 호핑 투어

01

혼미에우 Hon Mieu
선착장에서 출발해 10분이면 닿는 섬이다. 섬에 자리한 찌응우옌 수족관은 40여 년 역사의 명소로 콘크리트로 만들어진 거대한 해적선 같은 외관이 무척 독특하다. 수백 종의 해양생물을 관람할 수 있으며 섬 남쪽의 미니 비치는 해수욕과 해양 스포츠 명소로 유명하다.

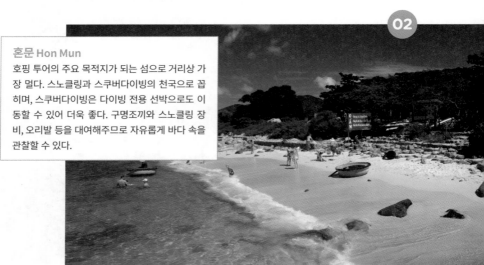

02

혼문 Hon Mun
호핑 투어의 주요 목적지가 되는 섬으로 거리상 가장 멀다. 스노클링과 스쿠버다이빙의 천국으로 꼽히며, 스쿠버다이빙은 다이빙 전용 선박으로도 이동할 수 있어 더욱 좋다. 구명조끼와 스노클링 장비, 오리발 등을 대여해주므로 자유롭게 바다 속을 관찰할 수 있다.

혼탐 Hon Tam

수상 스포츠를 즐기거나 선베드에서 휴식을 취할 수 있는 휴양 섬이다. 호핑 투어 시에는 남쪽의 작은 선착장에 주로 머물게 된다. 섬의 북서쪽에 위치한 멀펄르 혼탐 리조트에서는 한적하고 외딴 섬의 분위기를 만끽할 수 있다.

혼못 Hon Mot

빈펄 섬과 가장 가까이에 위치한 작은 섬으로, 호핑 투어에서는 그냥 지나치기도 한다. 관광객이 많지 않고 수질이 깨끗해 바닥이 투명한 보트를 타고 산호와 해양생물을 구경하는 투어가 진행되기도 한다.

OH! MY TIP

호핑 투어란?

호핑이란 '폴짝폴짝 뛰다'라는 의미로, 배를 타고 여러 섬의 뷰 포인트를 둘러보면서 물놀이를 즐기는 프로그램이다. 경치가 아름다운 곳에서 잠시 정박하고 식사를 하며 배 위에서 레크리에이션 시간을 갖기도 한다.

LOCAL FOOD 현지 음식

BANH MI 반미

RICE NOODLE 쌀국수

SEAFOOD 해산물

BBQ & STEAK 바비큐 & 스테이크

FAMILY RESTAURANT 패밀리 레스토랑

CAFE & DESSERT 카페 & 디저트

CLUB & BAR 클럽 & 바

BEACH PUB 비치펍

LOCAL FOOD

현지 음식

01 냐벱 Nha Bep Nha Trang

나트랑에서 즐기는 베트남 전통 음식

다낭 최고의 맛집을 나트랑에서도 만날 수 있다.
2024년 2월에 오픈한 곳으로 베나자 시티 트래
블 라운지 바로 맞은편에 위치한다. 2층 규모의
넓고 쾌적한 공간으로 가족 여행자들이 찾기에
도 좋으며, 호이안 스타일의 인테리어도 돋보인
다. '냐벱'은 '주방'이라는 뜻으로 베트남 정통 음
식을 제대로 즐길 수 있다.

MENU 파인애플 볶음밥 13만 9천 동, 모닝글로리 7만 9
천 동 OPEN 10:30~22:00

⓪② 라냐 Nha hang La Nha

떠오르는 나트랑 맛집

베트남 가정식을 선보이는 곳으로 나트랑에서 가장 떠오르는 곳이다. 세련된 통유리 인테리어와 오픈 키친으로 구성된 쾌적한 공간에서 정갈한 식사를 즐길 수 있다. 반쎄오와 분짜가 가장 인기며, 쌀국수 종류도 다양하다. 망고, 패션프루트 스무디도 필수다. 나트랑 시내에 위치해 여행 중 들르기 좋다.

MENU 돼지고기 달걀 조림 15만 동, 피시소스 닭볶음 17만 5천 동
OPEN 11:00-20:00
SITE www.facebook.com/
lanharestaurant

⓪③ 짜오마오 Nha hang Chao Mao

만족도 높은 베트남 음식점

반쎄오, 짜조 등 대중적인 선호도가 높은 베트남 요리를 골고루 즐길 수 있는 맛집이다. 음식의 맛이 전반적으로 무난해 부담없이 찾기 좋다. 아늑하고 시원한 실내, 여행지 느낌이 물씬 풍기는 인테리어는 물론 한국어 메뉴까지 세심하게 갖춰져 있다. 대기를 피하려면 인스타그램 DM으로 예약하는 것이 좋다.

MENU 반쎄오 9만 5천 동, 짜조 15만 동
OPEN 11:30~15:00, 17:30~21:30
SITE www.instagram.com/
chaomao.vn

04 랑 응온 LÀNG NGON

야외 정원에서 호젓한 식사를

나트랑을 대표하는 맛집. 반쎄오, 미꽝, 분보후에 등 가장
베트남다우면서도 대중적인 전통음식을 무난하게 즐길
수 있다. 베트남 중부 특유의 호젓하고 전원적인 분위기
의 인테리어는 물론 야외석도 마련돼 있어 여행의 흥취를
느끼기에 더없이 좋다. 나트랑뿐만 아니라 후에, 꽝남 등
지역별 요리도 맛볼 수 있다.

MENU 분보후에 9만 9천 동, 반쎄오
7만 9천 동, 분짜 9만 9천 동
OPEN 10:30~22:00
SITE langngon.com

05 바 또이 Tiệm Cơm Bà Tôi

정성스러운 베트남 가정식 한 상

'할머니의 집밥'이라는 뜻의 이름처럼 푸짐하고 정
겨운 베트남 가정식을 만날 수 있다. 실내가 깔끔하
고 반쎄오, 쌀국수, 짜조 등 메뉴가 다양하며 가격도
저렴해 여행자들도 많이 찾는 편. 간이 세다는 평가
가 많지만, 재료가 신선하고 맛도 호불호가 크게 나
뉘지 않을 정도로 무난하다. 고구마와 흰콩 등으로
만든 건강 음료도 함께 맛보면 좋다.

MENU 퍼보 7만8천동,
닭고기 해산물볶음밥 9만 7천 동
OPEN 10:00~21:00
(브레이크 타임 14:00~17:00)
SITE www.facebook.com/
tiemcom.batoi

베트남 음식 이야기

1 조화롭다

베트남 음식의 가장 큰 매력은 재료 간의 조화다. 요리와 함께 제공되는 채소와 소스를 100% 활용하는 경지에 오르면, 본래 하나인 듯 어우러지는 풍미 속에 재료의 맛이 속속들이 느껴진다.

2 신선하다

베트남은 식재료가 저렴하고 구하기도 쉽기 때문에 그날그날 사용하고 남은 것은 미련 없이 처분한다. 냉동 보관 비용이 더 비싸기 때문이다. 베트남에서는 언제든 오늘 아침에 뽑아낸 생면이 들어간 쌀국수, 어제까지 들판에서 숨 쉬던 채소와 한 번도 냉동된 적 없는 고기를 맛볼 수 있다.

3 다양하다

베트남은 위아래로 긴 나라답게 북쪽과 남쪽이 각기 다른 음식 문화를 지녔다. 북부 하노이 음식이 담백하다면, 남부 호찌민 음식은 기름에 튀기거나 부치는 등 자극적이다. 중부의 나트랑과 달랏에서는 북부와 남부의 특징이 혼합된 음식을 즐길 수 있다.

4 풍요롭다

베트남 사람들은 적당히 배가 차면 식사를 마친다. 신선한 과일과 저렴한 군것질 거리가 지천에 널려 있어 언제든 음식을 먹을 수 있기 때문. 우리에게 베트남 음식 양이 적게 느껴지는 이유다.

5 저렴하다

우리나라 돈 5,000원이면 현지 음식 대부분을 즐길 수 있다. 고급 레스토랑의 물가는 꽤 비싼 편이지만, 다채로운 길거리 음식과 로컬 식당 등 저렴하게 즐길 수 있는 음식이 무궁무진하다.

베트남의 맛! 로컬 푸드

껌가 Com Ga
담백한 맛이 일품인 닭고기 덮밥

닭고기를 밥 위에 얹어낸 요리로 현지에선 치킨 라이스로 통한다. 닭다리 튀김을 통으로 얹은 껌가꿰이가 인기이고, 푹 삶아낸 닭고기를 올리는 껌가루옥도 있으니 취향대로 선택 가능하다. 닭고기 육수로 밥을 지어 노란빛을 띠는 것이 특징이다.

미싸오하이산 Mì xao hai san
든든하고 맛있는 볶음국수

해산물 볶음국수. 삶은 밀가루 면을 강한 불에 볶은 후 새우, 오징어 등 다양한 해산물과 청경채, 오크라 등을 넣어 함께 볶아낸다.

반쎄오 Ban Xeo
취향 저격 베트남식 빈대떡

안 먹으면 섭섭한 베트남 음식의 대표 메뉴. 쌀가루 반죽에 새우나 돼지고기, 숙주를 비롯한 각종 채소를 듬뿍 넣고 반으로 접어 반달 모양으로 부친다. 겉은 바삭하고 속은 다양한 재료들이 어우러져 빈대떡과 비슷한 맛을 낸다.

반베오 Banh Beo
먹어도 먹어도 질리지 않는 쌀떡

나트랑에서 즐겨 먹는 음식으로 쫀득하고 부드러운 쌀떡 위에 새우 가루, 돼지고기나 닭고기 가루를 뿌려낸다. 파기름이나 매운 느억맘 소스를 뿌려 먹으면 풍미가 더욱 살아난다. 한입에 먹기 좋게 작은 그릇에 담겨 나온다.

하이산 Hai san
신선하고 맛있는 해산물 요리

나트랑에서는 가까운 어촌에서 직송되는 신선한 타이거새우, 오징어, 성게, 게, 해파리, 조개류 등을 저렴하게 맛볼 수 있다. 해변을 따라 무수한 해산물 바비큐 식당이 늘어서 있다.

보네 Bo ne
베트남식 돌판 스테이크

뜨거운 돌판 위에 달걀 프라이, 고기 완자가 얹어 나오는 베트남식 소고기 스테이크. 현지에서는 아침식사로 즐겨 먹는다. 보통 잘 구워진 바게트를 뚝 떼어 고기와 채소를 얹어 먹거나 함께 나온 소고기 국물에 찍어 먹는다.

바비큐 BBQ
독특한 바비큐 체험

나트랑에서는 해산물뿐 아니라 고기를 구워 먹는 바비큐 음식점도 자주 만날 수 있다. 돼지고기, 소고기 같은 대중적인 메뉴도 좋지만 평소에 맛보지 못했던 고기에도 도전해보자. 베트남식 바비큐뿐만 아니라 우리나라식, 일본식 등 다양한 바비큐 맛집이 운영 중이다.

반바오반박 Bánh Bao Bánh Vạc
베트남 중부식 물만두

얇은 라이스페이퍼 안에 고소하고 탱글한 새우살을 넣어 만든 일종의 물만두다. 활짝 핀 흰 장미 같은 모양이라 하여 화이트 로즈(White rose)로 흔히 불린다.

BANH MI

---

01 반미 판 Bánh mì Phan

나트랑 최고의 반미 맛집

나트랑에서 제대로 된 반미 맛을 보고 싶다면 당장 찾아가야 할 곳이다. 다양한 조합의 반미 메뉴가 준비되어 있어 선택의 폭이 넓고 우리 입맛에도 잘 맞는 편이다. 치즈가 들어간 메뉴가 인기가 많다.

MENU 소고기 치즈 토스트 4만 동, 혼합 반미 3만 동 **OPEN** 6:00~20:30 **SITE** banh-mi-phan.business.site

02 반미 스페이스 Banh Mi Space

현지인들이 찾는 맛집

버고 호텔 근처에 위치한 반미 전문점으로 1층에서 주문해서 포장해가거나 2층에서 먹을 수 있다. 겉은 바삭하고 속은 부드러운 바게트와 아삭한 채소, 잡내 없는 고기의 조화가 뛰어나다. 마지막에 케첩을 뿌리니 원하지 않는다면 주문할 때 미리 말해두자. 우리나라 대표 음식인 김밥은 물론 익숙한 토스트도 있다.

MENU 달걀 반미 2만 동, 돼지고기 반미 3만 동
OPEN 6:00~20:00

03 반미 응온 Banh Mi Ngon

'맛있는 반미' 그 자체

1일 1반미를 계획 중인 나트랑 여행자라면 바드시 들러야 하는 곳이다. 리게일리어 호텔 바로 앞에 위치하며 주문 후 시원한 2층 공간에서 반미를 맛볼 수 있다. 향신료가 많이 들어가지 않기 때문에 부담스럽지 않지만 원한다면 주문할 때 미리 말해두자.

MENU 스페셜 반미 4만 동, 닭고기 반미 3만 동
OPEN 6:00~21:00

RICE NOODLE 쌀국수

01 퍼홍 Pho Hồng

베트남 쌀국수의 정석

나트랑에서 가장 유명한 쌀국수 집. 로컬 식당임에도 맛이 충분히 대중적이어서 베트남 음식 입문자들에게 추천할 만하다. 고수 없이 매우 깔끔한 국물 맛을 낸다. 단일 메뉴 식당 특유의 고집과 정성이 느껴지는 곳으로 시내에서 가까워 일정 중에 들르기 좋다. 단 실내와 바깥의 구분이 없이 완전히 트인 형태의 식당이라 한낮에는 더위를 고스란히 느껴야 한다.

MENU 퍼 보 5만 5천 동 OPEN 6:00~22:30

02 미꽝남 127 Mì Quảng Nam 127

새로운 맛의 세계

꼭 베트남 현지에서 쌀국수를 먹어봐야 하는 이유는 바로 당일 새벽에 뽑은 생면의 탱글탱글한 식감에 있다. 특히 국물 없이 굵은 면발을 쓰는 미꽝은 얼마나 쫄깃한 면발을 구현해내느냐가 맛을 좌우한다. 그런 의미에서 이곳은 제대로 만든 생면에 고기, 해산물, 땅콩, 메추리알 등 싱싱하고 다양한 재료가 어우러져 환상의 맛을 이끌어낸다. 퍼 보가 쌀국수의 전부로 알고 있다면, 미꽝을 맛보는 순간 새로운 세계를 마주하게 될 것이다.

MENU 미꽝·해물 미꽝 4만 2천 동
OPEN 6:30~12:30·15:30~20:30

03 안 어이 퍼 Anh oi pho

서비스도 맛도 좋은 쌀국수 맛집

최근 한국인들 사이에 입소문 난 쌀국수 맛집이다. 뜨끈하게 달궈진 뚝배기에 담겨 나오는 '뚝배기 쌀국수'가 인기 메뉴. 따뜻한 육수를 끝까지 즐길 수 있어 더욱 만족스럽다. 여럿이 방문했다면 월남쌈과 분짜, 쌀국수가 모두 포함된 콤보 메뉴를 추천한다. 한국인들을 위해 김치가 밑반찬으로 제공된다.

MENU 뚝배기 쌀국수 8만 동,
분짜 6만 동, 세트 콤보 20만 동
OPEN 10:00~20:00

나에게 맞는 쌀국수 즐기기

퍼 보 Pho Bo
대표적인 베트남 쌀국수

소고기로 맛을 낸 쌀국수로 쌀국수의 원조이다. 푹 고아낸 소뼈 육수가 의외로 담백해 남녀노소 누구나 입맛에 잘 맞는다. 고명으로 올리는 소고기의 부위와 조리법에 따라 이름이 달라진다.

분보후에 Bun Bo Hue
후에를 대표하는 전통음식

베트남 쌀국수의 매콤한 버전. 일반 쌀국수보다 굵은 면을 사용하며 소고기나 돼지고기 고명을 듬뿍 올린다. 시원한 소뼈 육수에 칠리, 레몬그라스 등의 향신료를 사용해 매콤하면서도 깔끔한 맛이 난다.

미꽝 Mi Quang
중부 지방의 명물 비빔 쌀국수

양념장에 비벼 먹는 쌀국수로 다낭의 대표 음식이다. 땅콩가루와 함께 새우, 돼지고기, 닭고기, 채소 등 토핑을 선택할 수 있다. 강황가루를 넣어 노란빛을 띠는 면발은 두툼하면서도 쫄깃하다. 잘게 부순 반퐁똠(새우 쌀과자)과 레몬즙을 함께 넣고 비비면 더욱 맛있다. 대개 양이 적어 한 끼 식사로는 조금 부족할 수 있다.

퍼 가 Pho Ga
감칠맛 가득 닭고기 쌀국수

소고기 대신 닭을 푹 고아 만든 육수를 사용해 담백하다. 과거 소고기를 구입할 수 없던 시절 소고기 쌀국수를 대체하기 위해 만들어졌다. 우리의 닭곰탕과 맛이 비슷한데 가슴, 다리, 지방 등 부위별로 닭고기 살을 찢어서 고명으로 올린다.

분짜 Bun cha
국수와 바비큐, 짜조를 한번에

숯불구이와 국수를 곁들여 먹는 음식. 직화로 구운 달큰한 고기와 시원한 소면, 토핑으로 뿌려진 땅콩가루를 새콤달콤한 육수에 적셔 함께 먹으면 그 오묘한 조화에 미소가 지어진다. 함께 나오는 짜조(튀긴 스프링롤)는 달콤한 피시소스에 찍어 먹자.

분짜까 Bun Cha Ca
어묵 튀김을 얹은 쌀국수

어묵 튀김인 짜까를 넣은 쌀국수. 미꽝과 함께 베트남 중부의 명물 음식으로 꼽힌다. 매콤한 국물과 쫀득한 어묵, 부드러운 국수가 완벽한 삼박자를 이룬다.

분팃느엉 Bún Thịt Nướng
고기, 채소, 면의 환상적인 조화

베트남 중남부의 대표 음식 중 하나. 신선한 채소와 직화로 구워낸 돼지고기, 스프링롤 등을 국수 위에 얹어 먹는다. 함께 나오는 소스에 찍어 먹어도 되고 비벼 먹어도 맛있다. 한 그릇 속에 다채로운 맛이 어우러져 한 끼 식사로 손색이 없다.

하루 한 그릇! 쌀국수를 즐기자

베트남 쌀국수에 대해

우리에게 가장 익숙한 형태의 쌀국수를 가리키는 정확한 명칭은 '퍼 보(Pho Bo)'다. 퍼는 면의 종류 중 하나이고 보는 소고기를 뜻한다. 동남아의 다른 나라들에 비해 베트남 쌀국수가 특별한 이유는 바다를 옆에 두고 세로로 긴 독특한 지형에 있다. 남과 북의 거리가 워낙 멀어 날씨나 지형적 특징에 차이가 있다 보니, 각 지역별로 독특한 쌀국수 문화가 발전해온 것이다. 이를테면, 달고 기름진 음식 문화가 발달한 남부 사람들은 '퍼 보'를, 담백한 맛을 즐기는 북부 사람들은 '퍼 가'를 선호한다. 또한 같은 쌀국수라도 북부로 갈수록 면의 굵기가 얇아지는 경향이 있다.

쌀국수 맛을 좌우하는 가장 중요한 요소는 육수다. 퍼 보는 소꼬리와 갈비, 사태에 계피, 향료 등을 함께 넣어 오랫동안 우려낸 국물을, 퍼 가는 닭의 고기와 뼈를 푹 고아서 만든 담백한 국물을 사용한다. 해산물로 유명한 중부에서는 생선으로 육수를 내기도 한다. 크게 면 종류에 따라 이름이 결정되므로 대표적인 면들을 기억해두면 주문할 때 편리하다.

면 종류

· **분(Bún):** 베트남 북부, 중부에서 즐겨 먹는 하얀 면으로 쌀로 만든다. 하노이 음식인 분짜, 후에 지방의 대표 음식 분보후에에 사용한다. 나트랑에서는 분짜까에 들어간다.

· **퍼(phở):** 우리가 흔히 알고 있는 쌀국수면이다. 분보다는 면발이 조금 굵고 납작하다. 뜨거운 소고기 육수와 어울리는 식감과 맛을 지닌다. 퍼 보, 퍼 가에 사용한다.

· **미(Mi):** 노란색 면으로 라면과 비슷하게 보인다. 중국에서 밀가루에 달걀을 넣어 만들던 국수가 베트남에 전해진 것이라는 유래가 있다. 볶음국수나 비빔국수와 잘 어울린다. 미꽝, 미싸오보에 사용한다.

OH! MY TIP
베트남의 맛, 고수를 즐기자
고수는 영어로 코리앤더, 베트남어로는 라우 텀 (rau thom)이라고 하는데, 대개 낯선 향과 맛 때문에 적응하기 어려워한다. 그러나 고수의 참맛을 알고 나면 미식의 세계가 넓어진다. 베트남 음식을 즐기기 위해 알아두면 좋은, 고수에 대한 일반 상식을 소개한다.

OH! MY TIP
고수에 대한 오해와 편견
· 고수는 동남아 대부분의 지역과 대만, 홍콩을 비롯한 중화권에서 흔히 쓰이는 식재료다. 열을 내리는 기능이 있어 주로 무더운 지역에서 즐겨 먹는다.

· 우리나라에서도 고수를 재배해 먹었다는 기록이 있다. 머리를 맑게 해주는 효능이 있어 주로 스님들이 즐겨 먹었다고 한다. 노스님들은 고수 반찬이 없으면 손님 대접이 소홀하다 여겼다고 한다.

· 고수는 비타민과 미네랄, 마그네슘이 풍부하다. 특히 테르펜 성분은 숲속에서 나오는 피톤치드의 주성분이다.

· 서양권에서는 고수보다 깻잎의 향이 더 독특하고 강렬하다고 평가한다. 식재료의 맛은 상대적이고 주관적이다.

· 고수 먹기가 힘들다면 '콩 라우 텀', '콩 자우무이' (고수 빼주세요)라고 얘기하자. 우리나라에서 완성된 음식에 참깨를 뿌려내듯 습관적으로 올리는 식재료라 고수의 맛을 힘들어하는 것을 잘 인식하지 못한다.

SEAFOOD

해산물

01 라이 하이산 LAI SEAFOOD

나트랑에서 가장 핫한 해산물

나트랑에서 꼭 맛봐야 하는 음식이 바로 해산물 (하이산)이다. 라이 하이산은 나트랑에서 떠오르는 해산물 레스토랑으로 쾌적한 공간에서 푸짐한 식사를 즐길 수 있다. 로브스터 치즈 구이가 가장 인기 많은데, 게, 다금바리, 조개 등 싱싱한 해산물이 가득한 수족관에서 원하는 로브스터를 직접 고를 수 있다. 오픈 키친에서 음식이 조리되는 모습도 확인할 수 있어 좋다.

MENU 갈릭 새우 22만 5천 동, 맛조개 모닝글로리 15만 동
OPEN 12:00~23:00

02 코스타 씨푸드 Coasta Seafood

고급스러운 해산물 만찬

나트랑의 해산물 레스토랑 가운데 맛과 서비스 면에서 높은 평가를 받고 있는 곳. 타이거새우 튀김, 킹크랩 등 고급스러운 메뉴들이 충실히 갖춰져 있다. 시내 중심에 위치한 데다 규모도 크고 개별 룸이 많아서 가족 여행객에게 적합하다. 호텔 레스토랑 치고 가격도 무난하고 맛에 대한 실패 확률도 적어 우리나라 여행객들에게 인기가 아주 좋다. 위생에 민감한 편이라면 믿고 찾을 수 있는 곳이다.

MENU 타이거새우 튀김 36만 동, 로브스터 요리 250만 동~
OPEN 6:30~22:00 SITE www.costaseafood.com.vn

03 응온 갤러리 Ngon Gallery Nha Trang Restaurant

로브스터를 무제한 즐기려면

한국인들에게 많은 사랑을 받는 해산물 뷔페 레스토랑이다. 해산물 요리 뷔페를 이용하면서 무제한 로브스터 요리를 즐길 수 있는 구성이 가장 인기가 많다. 네 가지 맛의 로브스터 요리가 기본으로 제공되며 이후 원하는 대로 추가 주문할 수 있다. 작은 무대에서 열리는 흥겨운 공연도 볼 수 있고 망고와 아이스크림 등 후식도 제공된다.

MENU 무제한 로브스터 뷔페 155만 동
OPEN 6:30~22:00(브레이크 타임 14:00~17:00) **SITE** ngongalleryvn.com

04 피스트 쉐라톤 나트랑
Feast Buffet Restaurant Nha Trang

모두가 만족하는 호텔 해산물 뷔페

맛과 서비스가 보장된 곳에서 마음 편하게 해산물 뷔페를 맛보고 싶다면 쉐라톤 호텔 1층에 자리한 이곳으로 향하자. 일반 뷔페 요금에는 로브스터 한 마리와 주류 무제한 제공 서비스가 포함되며, 로브스터를 무제한으로 맛볼 수 있는 메뉴도 있어 더욱 좋다. 단 주중에는 조식 등을 제공하는 일반 레스토랑으로 운영되기 때문에 방문을 원한다면 반드시 주말을 이용해야 한다.

MENU 해산물 뷔페(1인) 98만 8천 동, 무제한 로브스터(1인) 178만 7천 동
OPEN 금~일 6:30~22:00
SITE facebook.com/DiningatSheratonNT

BBQ & STEAK

01 리스 그릴 Lee's Grill

맛도 양도 만족스러운

나트랑 여행자 거리에서 존재감을 뽐내고 있는 바비큐 전문점. 실패 없는 맛집으로 입소문을 탄 지 오래다. 내부로 들어가면 거대한 천막을 쳐놓은 듯한 천장과 어마어마한 규모에 놀라게 된다. 축구 경기를 하는 날에는 대형 화면을 띄워놓고 열정적인 응원전이 펼쳐져 장관을 이룬다. 고기부터 해산물까지 다양한 종류의 그릴 메뉴를 갖추었다. 가성비도 좋은 편이라 방문객들의 만족도가 높다.

MENU 해산물 콤보(2인) 70만 동, 비프스테이크 42만 동 **OPEN** 12:00~15:00, 16:30~22:30 **SITE** leesgrill.co.kr

02 조니 스테이크 하우스 Johnny Steak House

알찬 메뉴로 즐기는 훌륭한 스테이크

나트랑을 대표하는 스테이크 전문점으로 육즙 넘치는 최고의 스테이크를 즐길 수 있다. 수프, 빵, 버터, 특제 소스 등 메뉴 구성이 알차고 음료 무료 제공 및 훌륭한 서비스까지 만족스럽다. 나트랑 시내에 2개 지점이 운영 중인데, 2호점이 좀 더 개방적이고 세련된 인테리어로 선호도가 높다.

MENU 후지 서로인 스테이크 28만 9천 동, 후지 립아이 바비큐 31만 9천 동, 앵거스 토마호크 179만 9천 동 **OPEN** 10:00~22:00 **SITE** johnnysteak.vn

03 리빈 콜렉티브 Livin Collective

줄서서라도 맛보고 싶은 바비큐

2015년 초 미국 캘리포니아 출신 커플이 개업한 서양식 바비큐 그릴 레스토랑이다. 심플한 인테리어에서 알 수 있듯, '간단하고 건강한 요리가 훌륭한 음식이다'라는 철학으로 만든 요리들을 선보인다. 친절한 서비스와 푸짐한 양으로 알음알음 소문이 퍼지다 최근에는 줄 서서 먹을 정도로 유명해졌다. 인기 메뉴

는 BBQ 플래터로 립, 치킨, 포크 등 여러 종류의 바비큐를 한번에 맛볼 수 있다. 함께 자리한 편집숍은 특별한 기념품을 구입하려는 여행객들에게 인기가 좋다.

MENU 스모크 플래터(3-4인) 100만 동, 인트로 플래터 (1-2인) 45만 동 **OPEN** 09:00~23:00

04 믹스 그릭 레스토랑 Mix Greek Restaurant

해산물과 고기를 한번에

지중해식 바비큐 전문 레스토랑으로 여행자보다 현지인 사이에서 더 유명한 곳이다. 맛있는 메뉴를 한번에 맛볼 수 있는 믹스 메뉴가 인기다. 다양한 해산물을 조합한 해산물 믹스, 해산물과 고기를 함께 즐길 수 있는 믹스 믹스 등 취향에 맞게 메뉴를 고를 수 있다. 큼직한 플레이트에 가지런히 놓인 바비큐의 자태는 그야말로 비주얼 폭발이니 인증샷 또한 필수다. 몇몇 그리스 단품 요리도 맛이 좋다.

MENU 해산물 믹스(2인) 55만 동, 믹스 믹스 61만 동 **OPEN** 11:00~21:30

놓칠 수 없는 간식과 길거리 음식

반미 Banh Mi
파리보다 맛있는 바게트 샌드위치

아침식사나 간식으로 즐겨 먹는 베트남식 바게트 샌드위치. 돼지고기, 소고기, 닭고기 등 취향에 따라 속재료와 소스를 선택할 수 있다. 쫄깃한 바게트와 고기, 칠리소스가 어우러진 맛이 훌륭한 데다 양이 넉넉해 하나만 먹어도 든든하다.

팃느엉 Thit nuong
숯불향 가득한 꼬치구이

노점에서 가장 많이 볼 수 있는 꼬치 요리. 양념한 돼지고기를 숯불에 구우면서 풍겨오는 진한 향이 일품이다. 깨가 솔솔 뿌려진 꼬치를 라이스페이퍼에 싸 먹거나 새콤달콤한 느억맘 소스에 찍어 먹는다.

넴 루이 Nem lụi
라이스페이퍼에 싸먹는 고기 꼬치

넴 루이 혹은 넴 느엉(Nem nướng)이라고도 한다. 양념한 고기를 꼭꼭 뭉쳐서 나무꼬치에 꽂아 석쇠에 굽는다. 먹을 때는 꼬치에서 고기를 빼서 라이스페이퍼에 넣고 각종 채소와 함께 김밥처럼 말아서 땅콩 소스에 찍어 먹는다.

고이 꾸온 Goi Cuon
베스트 애피타이저

대표적인 베트남 요리인 스프링롤을 일컫는다. 새우와 돼지고기, 당면 등을 라이스페이퍼에 싸서 느억맘에 찍어 먹는다. 짜조(Cha Gio)는 고이 꾸온을 튀긴 것이다.

반깐 Bánh căn
고르는 재미가 있는 길거리 음식

나트랑과 달랏 인근 지역에서 자주 눈에 띄는 길거리 음식이다. 타코야키처럼 동글동글한 틀에 쌀과 코코넛을 섞은 반죽을 넣어 구워 먹는다. 새우, 메추리알, 소고기 등 토핑을 선택할 수 있다. 새콤달콤한 소스를 함께 주는데 피시볼을 추가해 먹으면 더 맛있다.

반콧 Bánh khot
바삭한 부침개와 신선한 채소의 만남

베트남식 미니 부침개. 동그란 틀에 쌀가루 반죽을 넣어 살짝 부친 다음 그 위에 새우, 한치, 다진 고기를 올린다. 상추에 싸거나 채소와 함께 먹는데, 반죽을 쪄내는 반베오와 헷갈릴 수 있으니 주문 시 잘 확인하자.

반짱느엉 Bánh tráng nướng
라이스페이퍼로 만든 베트남식 피자

라이스페이퍼 위에 메추리알과 말린 소고기, 파와 고추 등을 얹어 구운 팬케이크. 숯불로 노릇노릇하게 구워내 바삭한 식감이 일품이다.

FAMILY RESTAURANT

01 알파카 홈스타일 카페 Alpaca Homestyle Cafe

베트남에서 만나는 이국적인 음식

지중해식, 멕시코식 메뉴를 주력으로 선보이는 곳으로, 브런치에 어울릴 만한 메뉴가 많다. 수프, 샐러드 종류도 다양하고 파히타, 퀘사디아 등 정성 가득한 이국적인 음식을 맛보는 재미가 쏠쏠하다. 베트남 음식이 지루해질 즈음 찾아가보자.

MENU 서니사이드업 세트 9만 5천 동, 치킨 파히타 14만 5천 동 **OPEN** 8:00~21:00 **SITE** www.facebook.com/alpacanhatrang

02 루남 카페 & 레스토랑 RuNam Café & Restaurant

고풍스러운 아시안 퓨전 레스토랑

베트남 여러 곳에서 지점을 운영 중인 체인 레스
토랑으로, 나트랑 지점은 해변 바로 앞에 자리한
다. 스테이크 같은 그릴 요리, 베트남 퓨전 요리 등
다양한 메뉴를 선보인다. 커피, 생과일 주스, 스무
디, 칵테일 등 음료 메뉴도 풍성해 낮에도 인기가
좋다. 가격대는 좀 있는 편이지만, 오션뷰를 즐기
며 저녁식사를 하고 싶다면 실패하지 않는 선택
이 될 것이다.

MENU 반미 15만 동, 스테이크 49만 동
OPEN 7:00~22:30 **SITE** caferunam.com

03 쏨모이 가든 Xóm Mới Garden

한 끼 메뉴가 고민되는 당신에게

바비큐 식당, 쌀국수 전문점, 반미 전문
점, 호찌민의 유명 식당 브랜드 '뱁미인
(Bep Me In)' 카페 등 다양한 음식점이
모인 복합몰이다. 거대한 유리 온실을
연상케 하는 천창 인테리어가 인상적이
다. 높다란 층고 아래 시원하게 트인
공간에 여러 음식점이 모여 있어
무엇을 먹을지 고민인 여행객
들에게 안성맞춤인 곳이다.

MENU 소고기 반미 5만 2천 동,
쌀국수 8만 동, 짜조 6만 5천 동
OPEN 6:30~22:00 **SITE** www.
xommoigarden.com

CAFE & DESSERT 카페 & 디저트

01 콩 카페 Công Càphê

베트남 커피를 대표하는 카페 체인

2007년 하노이 카페 거리에서 소규모로 시작해 베트남 전역에 60개 지점을 보유한 대형 프랜차이즈로 성장한 카페 체인이다. 70년대 선전 포스터, 오래된 타자기와 전쟁 때나 사용했을 법한 트랜지스터라디오, 군복을 입고 스마트폰을 만지작거리는 직원까지, 현지인들에게는 향수를 불러일으키겠지만 외국인에게는 꽤나 이색적인 콘셉트로 꾸며져 있다. 첫 해외 진출 지점이 우리나라에 있을 정도로 우리나라 사람들에게 엄청난 사랑을 받는 곳이다. 가장 인기 있는 음료는 시원한 코코넛 스무디다. 고소하고 달콤한 코코넛 향과 진한 커피 맛이 극강의 조화를 이끌어낸다.

MENU 코코넛 스무디 커피 5만 9천 동, 아메리카노 3만 9천 동 OPEN 7:00~23:00 SITE congcaphe.com

02 CCCP 커피 CCCP Coffee

나트랑 커피 여행의 필수 코스

나트랑 도심에 위치한 커피 전문점으로 코코 넛 음료와 스무디류가 가장 인기다. 콩 카페보 다 인테리어가 모던한 편으로, 나트랑점은 커 다란 공간에 높은 층고와 통창으로 탁 트여 있 는 데다 푸릇푸릇한 식물이 가득해 기분 좋게 휴식을 취할 수 있다. 깔끔하고 편안한 분위기 라 한국인 관광객이 많은 편이다.

MENU 코코넛 커피 4만 8천 동~ 레몬 모히또 3만 8천 동~ **OPEN** 6:00~23:00 **SITE** www.facebook.com/CCCP.Coffee.NhaTrang/

03 쯩응우옌 레전드 카페 Trung Nguyên Legend Café

베트남 커피의 정석

우리에게도 유명한 베트남 인스턴 트 커피 지세븐(G7)을 탄생시킨 커 피 회사에서 운영하는 카페로, 베 트남 토종 커피 브랜드로서의 자부 심과 품격을 느낄 수 있다. 다낭과 나트랑에서 꽤 큰 규모의 직영점을 운영 중인데 가격대가 높은 편이어 서인지 다른 곳에 비해 한적하다. 레전드 커피, NO.1 커피 등의 수식 어를 내세우고는 있으나 여행객 사

이에서는 호불호가 갈리는 편이다. 카페 한쪽에 쯩응우옌 브랜드의 커피와 원두를 판매하는 숍이 있으며, 고급 버전의 믹스커피가 선물용으로 제격이다.

MENU 레전드 커피 15만 동, 아메리카노 4만 6천 동, 카페 라테 5만 5천 동 **OPEN** 6:30~21:30

04 안 카페 AN Café

여행 중 휴식이 고플 때

외관은 평범하지만 안으로 들어가면
왠지 모르게 끌리는 차분한 인테리어
가 인상적이다. 곳곳에 자리 잡은 푸
릇푸릇한 화분들, 작은 연못과 수족
관 등 베트남의 자연을 그대로 옮겨
놓은 듯 분위기가 꽤나 운치 있다. 커
피 맛도 좋지만 케이크 메뉴가 비교
적 저렴하고 맛있다.

MENU 베트남 커피 3만 2천 동, 아메리카노
4만 동, 아이리시 커피 7만 5천 동
OPEN 6:30~22:00

---

05 디저트 네스트 Chè Yến Dessert Nest

제비집으로 만든 디저트

나트랑 특산물인 제비집으로 만든 최고급 디저트를 즐길 수 있다. 제비집이 들어간 요구르트는 물론 제비
집이 들어간 커피와 차도 마실 수 있어 특별하다. 그외에도 아보카도 아이스크림, 망고 판나코타, 코코넛
젤리, 제비집 순두부 크림 등도 인기다. 메뉴가 전반적으로 달지 않으며 양이 많은 편이다.

MENU 알로에 제비집 요구르트 4만 동, 제비집 순두부 코코아 크림 4만동 OPEN 6:00~22:00
SITE www.facebook.com/yensaodessertnest

06 망고 커피 Mango Coffee

분위기 좋은 커피 맛집

야시장 후문에 위치한 베트남식 감성 카페로, 휴양지를
연상시키는 인테리어와 훌륭한 맛의 커피 음료로 입소문
을 타는 중이다. 2층 테라스는 야시장이 내려다보일 만큼
규모도 큰 편이라 관광객은 물론 현지인들도 많이 방문
한다. 시원한 에어컨 바람을 맞으며 여유를 부려보자. 메
뉴 가운데 망고 음료가 가장 인기가 많다.

MENU 코코넛 커피·망고 스무디 5만 9천 동
OPEN 7:00~21:00

인스타그램 감성 카페

올라 카페 Ola Cafe
멋진 공간에서 인생샷을 남기고 싶다면

나트랑의 새로운 카페 성지로 떠오르는 곳으로 독특한 구조와 훌륭한 디자인 콘셉트, 분홍빛 흙벽 외관이 눈길을 사로잡는다. 여행객에게는 감성 사진 스폿으로 유명하며 현지인들에게도 많은 사랑을 받고 있다. 인기 메뉴는 시그니처 메뉴인 코코넛밀크 커피다. 커피 맛도 서비스도 좋지만 시내에서 거리가 있다는 게 단점이다.

MENU 코코넛 커피 5만 5천 동~, 아이스 아메리카노 4만 동
OPEN 7:30~22:00

   ⋯

토우루 카페 Tooru Coffee
야생의 자연을 느끼고 싶다면

혼쫑 곳에서 도보로 5분 거리에 위치한 비치 카페로, 자연 콘셉트의 인테리어로 SNS에서 유명세를 타고 있다. 휴양지 특유의 느긋한 분위기 속에서 인기 메뉴인 코코넛 커피를 즐기는 것만으로도 만족스럽지만, 사실 이곳의 백미는 미니 동물원에 있다. 여러 동물을 만져볼 수 있고 사진도 찍을 수 있어 아이를 동반한 여행객들에게 더없이 좋다.

<u>MENU</u> 박씨우 3만 동, 바나나 스무디 3만 9천 동
<u>OPEN</u> 7:00~22:30

베트남 커피 제대로 알기

베트남 커피 이야기

베트남에 커피가 처음 소개된 것은 19세기 프랑스를 통해서였다. 베트남전쟁 이후 정부에서 대량으로 커피를 생산하기 시작하면서 오늘날에는 연간 173만 톤의 원두를 수확하고 있다. 베트남에서 자라는 커피 원두 대부분은 병충해에 강하고 맛과 향이 진한 로부스타(robusta) 종으로 세계 최대 수출량을 자랑한다. 베트남 커피는 작은 컵과 필터, 뚜껑으로 구성된 핀(Phin)이라는 드리퍼를 이용해 커피를 천천히 또 진하게 우려낸다.

베트남 커피에서 빼놓을 수 없는 것이 바로 연유다. 연유는 우유를 저온 살균해 진공상태에서 1/2~1/3로 농축한 것으로 진한 단맛이 특징이다. 그래서 쓰고 진한 베트남 커피와 찰떡궁합이다. 커피잔 아래에 연유를 깔고, 다크로스팅한 커피 원두를 가득 담은 핀 드리퍼를 올려놓은 형태가 가장 일반적인 베트남 커피(쓰어 농)의 형태다. 베트남 커피에는 연유 외에도 달걀, 요구르트, 코코넛, 치즈, 버터 등의 재료가 쓰인다.

베트남 커피 종류

카페 덴 농(Ca Phe Den nong): 핀 드리퍼로 내린 뜨거운 블랙커피. '농'은 뜨겁다는 뜻이다.

카페 쓰어 농(Ca Phe Sua nong): 연유가 깔린 잔 위에 핀 드리퍼를 얹는다. 커피를 내린 다음 조금씩 저으면서 마시면 된다. '쓰어'는 연유라는 뜻.

카페 다(Ca Phe DA): 핀 드리퍼로 내린 차가운 블랙커피. '다'는 얼음이라는 뜻이다.

카페 쓰어 다(Ca Phe Sua DA): 연유가 들어간 아이스커피. 바닥에 연유가 깔려 있어 저어서 마시면 된다. 달달하고 시원해서 인기가 많다.

카페 쭝(Ca Phe Trung): 일명 에그 커피. 따뜻하게 데운 잔에 달걀노른자와 바닐라 시럽, 곱게 간 크림을 넣고 그 위에 진한 커피를 부어 마신다. 차가운 카페 쭝은 다소 비릿할 수 있다.

코코넛밀크 커피(Cot Dua Ca Phe): 진한 커피에 코코넛밀크를 섞어 마시는, 베트남에서 핫한 커피 종류 중 하나. 얼린 코코넛밀크를 곱게 갈아 커피 위에 얹는데 아이스커피보다 시원하고 달콤하다.

달랏 커피가 특별한 이유

달랏은 프랑스인들이 만든 인공 휴양지였다. 호찌민의 무더위를 피할 수 있는 시원하고 쾌적한 도시를 찾아내, 호수를 파고 고급 빌라를 짓고 철로를 깔았다. 그리고 커피도 가져왔다. 달랏의 자연환경이 커피 재배에 매우 적합하다는 것을 깨달은 그들은 달랏을 아예 커피 생산지로 삼기에 이른다. 베트남이 세계 2위의 커피 생산국이 된 것은 아라비카종보다 맛이 쓰고 카페인이 강한 대신 병충해에 강해 쑥쑥 잘 자라는 로부스타종을 주로 생산하기 때문이다. 그러나 고지대인 달랏은 아라비카종 생산도 충분히 가능한 환경이다. 최근 달랏 커피 농가들은 커피 고급화에 힘쓰며 베트남 커피에 대한 편견을 깨기 위해 노력하고 있다. 그 덕분에 달랏 커피는 전 세계에서 인정받는 고급 품종으로 성장하기에 이르렀다.

메린 커피 농원
Me Linh Coffee Garden

1,500m 고지대에 자리한 달랏의 대표 커피 농장이다. 달랏 시내와는 조금 떨어져 있지만 아름다운 전망을 즐길 수 있는 것은 물론 이곳에서 수확한 커피도 맛볼 수 있다.

CLUB & BAR

클럽 & 바

01 스카이라이트 Skylight

나트랑을 대표하는 루프톱 클럽

해안가에 자리한 고층 호텔에는 각자의 개성을 지닌 루프톱바가 자리하지만 그중에서도 하바나 호텔 꼭대기에 있는 스카이라이트의 존재감은 독보적이다. DJ부스, 바, 이벤트 공간까지 취향에 맞게 선택할 수 있으며, 그중에서도 360도 전망을 즐길 수 있는 스카이 데크가 하이라이트로 꼽힌다. 바다와 시내, 저 멀리 산까지 한눈에 조망할 수 있다. 화려한 조명, 레이저 쇼, 유명 DJ들의 음악이 어우러져 눈부신 밤이 완성된다.

FARE 화~목·일 15만 동(음료 1잔 포함, 여성 무료), 금·토 20만 동(음료 1잔 포함, 여성 15만 동) OPEN 17:30~다음날 1:00(월 휴무) SITE skylightnhatrang.com

02 앨티튜드 루프톱바 Altitude Rooftop Bar

럭셔리한 저녁 시간

쉐라톤 호텔 28층에 위치한 루프톱바로, 나트랑
야경을 제대로 즐기고 싶다면 놓칠 수 없는 곳이
다. 시끌벅적한 분위기에 취하는 것보다 조금은
느긋하고 럭셔리한 밤을 보내고 싶은 여행자들에
게 추천한다. 나트랑 비치와 화려한 시내 전망이
그야말로 예술이다. 전망을 제대로 감상하고 싶
다면 외부 좌석을, 편안함을 원한다면 내부 좌석
을 선택하자. 16~18시는 해피아워로 맥주, 음료
등을 반값에 즐길 수 있다.

MENU 칵테일 18~21만 동
OPEN 17:00~24:00

03 더 부사 파크 The Busa Park

나트랑의 뜨거운 밤

혼쫑 지역에서 가장 핫한 비치펍으로 칵테일과
맥주, 음식까지 한번에 즐길 수 있다. 가족 여행자
들이 찾기에도 부담 없어 하루를 마무리하게 제
격이다. 낮에는 시원한 오션뷰를 만끽할 수 있는
카페로, 저녁에는 신나는 DJ 음악에 맞춰 파티를
즐길 수 있는 클럽으로
변신한다. 화려한 인테
리어와 뜨거운 분위기 덕
분에 찾는 사람이 많아 저
녁에는 빈자리가 없을 정도다.

MENU 칵테일 9만 동~, 커피
5만 동~ **OPEN** 7:00~24:00

BEACH PUB

01 세일링 클럽 Sailing Club

클럽이 나트랑의 명소가 된 이유

오랜 역사를 자랑하는, 나트랑의 랜드마크와도
같은 곳이다. 낮에는 비치 프론트에서 아름다운
경치를 즐기고, 밤에는 화려한 조명 속에서 신나
는 시간을 보내보자. 고급스럽고 힙한 분위기, 맛
있는 음식과 칵테일까지 무엇 하나 모자람이 없
다. 가격대가 높은 편이지만 만족도만큼은 최상
급. 정기적으로 파티를 열기도 하고 새벽까지 유
명 DJ의 디제잉도 이어지는 덕분에 지루할 틈이
없다.

MENU 해산물/고기 플래터 75만 동, 세일링 클래식 버거
28만 5천 동, 수박 주스 8만 동 **OPEN** 7:00~다음날 2:30
SITE www.sailingclubnhatrang.com

02 해피 비치 Happy Beach

알록달록 흥겨운 분위기

새하얀 백사장 위에 줄지어 있는 총천연색의 빈백, 쿵쿵쿵 심장을 두드리는 EDM의 화려한 비트와 조명 아래 느긋하게 앉아 칵테일을 홀짝이다 보면 밤바다의 파도소리마저 흥겨운 하모니를 이룬다. 훌륭한 포토 스폿이 넘칠 정도로 많다는 점도 기억해두자. 이국적인 풍경만으로도 만족스럽지만 칵테일도 전반적으로 평가가 좋다.

MENU 생과일 주스 7만 동, 스무디 9만 동 OPEN 16:00~다음날 11:30

03 루이지애나 브루하우스 Louisiane Brewhouse

나트랑에서 가장 맛있는 맥주

자체 브루어리를 운영하는 맥주 맛집으로 정면에는 탁 트인 나트랑 해변, 옆에는 꽤 넓은 수영장이 자리한다. 여러 종류의 맥주를 골고루 맛볼 수 있는 테이스팅 트레이를 골라보자. 베트남, 일본, 이탈리아 등 전 세계 요리로도 유명해 디너뿐만 아니라 런치 때도 늘 북적인다.

MENU 수제 맥주 330ml 6만 5천 동, 600ml 10만 동, 테이스팅 트레이 15만 동, 비프 버거 27만 동
OPEN 7:00~다음날 1:00
SITE www.louisianebrewhouse.com.vn

베트남 맥주 제대로 즐기자

비아 하노이 BIA HA NOI

하노이 대표 맥주. 베트남 맥주 특유의 청량감이 잘 살아 있다. 깔끔하고 산뜻해 대중적인 사랑을 받고 있다.

비아 사이공 BIA SAIGON

호찌민 대표 맥주. 진한 맥아의 맛이 매력적이다. 좋은 원료를 쓰기 때문에 마니아들이 많다.

후다 비어 Huda

후에 등 중부 지역에서 맛볼 수 있는 맥주. 2013 월드 비어 챔피언십에서 은메달을 수상했다.

하리다 HALIDA

하노이 지역 맥주. 베트남항공을 타게 되면 기내 서비스로 제공된다. 맛이 다소 싱겁다.

비아 라루 BIA LARUE

다낭 지역 맥주. 톡 쏘는 홉의 향이 강해서 호불호가 갈린다. 과일 맛 등 종류가 다양하다.

비아 333 BIA 333

베트남 전역에서 인기 있는 맥주. 일명 '바바바 맥주'로도 불린다. 가볍고 청량감이 좋아 부담 없이 마시기 좋다.

타이거 Tiger

싱가포르 브랜드지만 베트남에서 워낙 많이 소비되는 탓에 베트남 맥주로 오해받기도 한다. 톡 쏘는 시원한 맛으로 세계적으로 인기가 많다. 식당에서 주로 판매한다.

OH! MY TIP

추천 베트남 맥주

전체 알코올 소비량 가운데 맥주가 95%를 차지할 정도로 베트남인들의 맥주 사랑은 유별나다. 지역별로 각기 다른 매력의 맥주를 맛보는 재미도 쏠쏠하다. 대형 마트에 가면 다양한 베트남 맥주와 수입 맥주를 구입할 수 있다.

나트랑의 특별한 밤

케이 하우스 K-House

나트랑 해변에 위치한 비치펍 레스토랑으로 음료와 식사를 즐기며 특별한 밤을 보낼 수 있다. 피자, 파스타, 로컬 음식, 수제 맥주와 음료를 제공하며 오전 일찍 오픈해 일과 중 언제라도 방문하기 좋다. 야외 공간으로 많은 인원이 이용해도 문제 없으며, 해변과 연결되어 더욱 특별하다.

MENU OPEN 10:00~다음날 2:00

하이브리드 바 Hybrid Nha Trang

2021년 아시안 월드 베스트 바에 선정된 곳이다. 유니크한 칵테일을 선보이는 데다 나트랑 시내에 위치해 MZ 세대들이 즐겨찾는다. 바, 테이블석 모두 갖추고 있으며, 가격은 조금 비싼 편이지만 그에 걸맞은 칵테일을 즐길 수 있다. 칵테일과 어울리는 메뉴도 준비되어 있다.

MENU 칵테일 13만 동~ OPEN 18:00~다음 날 1:00
SNS @hybrid_nhatrang

베트남 전통 디저트 & 음료

신또 Shin To
신선한 생과일 셰이크

베트남에서는 2,000원도 안 되는 금액으로 생과일 셰이크를 즐길 수 있다. 우리나라에도 저렴한 생과일 주스 전문점이 많지만 베트남에서는 절대 냉동 과일을 쓰지 않는다는 점이 포인트! 망고, 용과, 파파야, 코코넛, 파인애플, 아보카도 등 선택의 기쁨은 덤이다.

쩨떱껌 Che thap Cam
베트남식 차가운 단팥죽

녹두로 만든 한천과 과일, 연꽃 열매가 들어간 차가운 단팥죽으로 팥빙수와 비슷한 맛이다. 콩과 팥, 땅콩 등이 들어간 쩨에 얼음을 넣어 시원하게 먹는다. 과일과 젤리, 코코넛밀크가 어우러진 달달한 맛이 매력적이다.

쩨밥 Che Bap
영양 가득 보드라운 푸딩

옥수수, 코코넛밀크 그리고 타피오카 펄을 섞어 먹
는 푸딩으로 크림같이 부드럽다. 영양적으로도 훌
륭한 겨울철 디저트로 호이안에서 재배한 신선한
옥수수로 만든다. 아이들이 먹기에 좋다.

즈어 Dua
베트남 여행의 필수 음료

베트남 여행 중에 가장 쉽게 접할 수 있는 코코넛
음료. 다소 밋밋하게 느껴질 수도 있지만 수분 보
충은 물론 체력 보충에도 그만인 필수 음료다. 빨
대가 꽂혀져 있어 이동하며 먹기에도 좋다.

껨즈어 Kem Dua
코코넛을 아이스크림으로

코코넛 껍질 안에 담긴 독특한 아이스크림. 아이스
크림 위에 각종 과일과 생크림을 듬뿍 얹어주는데
비주얼만으로도 군침이 돈다. 껍질 안에 하얀 코코
넛 과육까지 먹을 수 있다.

느억미아 Nuoc Mia
갈증을 해소시켜주는 사탕수수 주스

적당히 달고 시원한 사탕수수 주스. 주문 즉시 뽑
아낸 사탕수수즙이 입맛을 자극한다. 목 넘김이 부
드럽고 수분감이 풍부하지만 맛이 다소 싱겁다. 카
페보다는 노점에서 쉽게 만날 수 있다.

OH! MY TIP
다양한 재료로 즐기는 쩨
쩨(Che): 삶은 콩이나 녹두, 팥 등의 곡물과 고구마, 과일 등을 넣고 코코넛 끓인 물을 부은 간식. 대개 얼음을 넣
어 차갑게 먹는다.
쩨딱더우싼(Che Thach Dau Xanh): 녹두로 만든 한천을 넣은 얼음 빙수
쩨더우싼(Che Dau Xanh): 녹두와 한천, 코코넛을 넣은 얼음 빙수

나트랑·달랏 제대로 즐기기

LOCAL MARKET 전통 시장

MART & MALL 마트 & 쇼핑몰

SPA & MASSAGE 스파 & 마사지

RESORT 리조트

ALL INCLUSIVE 올 인클루사브

FOR FAMILY 가족 여행자

ROMANTIC RESORT 커플 여행자

CITY HOTEL 도심 호텔

GOLF 골프

LOCAL MARKET 전통시장

01 담 시장 Dam Market

명불허전 나트랑 대표 시장

시내에서 가장 큰 규모를 자랑하는 전통시장으로 언제나 현지인과 관광객들로 북적북적 활기찬 분위기를 느낄 수 있다. 관광객에게 최적화된 쇼핑 장소는 아니지만 현지인들의 삶을 깊숙이 들여다볼 수 있어 흥미롭다. 3층짜리 건물을 중심으로 뒤쪽에는 길거리 음식과 해산물 등을 판매하는 포장마차가 모여 있다.

OPEN 5:00~18:30

02 쏨모이 시장 Xom Moi Market

작지만 알찬 시장

현지 생활상을 고스란히 느낄 수 있는 시장이다. 시설은 다소 낙후되었지만 물건만큼은 알차다는 평가다. 열대과일과 현지 음식을 아주 저렴하게 구입할 수 있어 배낭여행자들에게 큰 인기다. 오후가 되면 문을 닫는 곳이 많으니 아침이나 점심에 방문하는 것이 좋다.

OPEN 6:00~17:00

03 나트랑 야시장 Nha Trang Night Market

여행자 거리의 또 다른 볼거리

여행자 거리 중심에 자리해 늦은 시간 산책을 나오면 한번은 지나치게 되는 곳으로, 시장 특유의 흥겹고 북적대는 분위기를 즐길 수 있다. 사실 규모도 작고 파는 제품들도 평범해서 개성 있는 야시장을 기대한다면 실망할 수 있는 만큼, 쇼핑보다는 구경삼아 둘러보며 현지 분위기를 느낄 것을 추천한다.

OPEN 19:00~22:00

04 달랏 야시장 Da Lat Night Market

달랏의 소소한 밤

예능 프로그램 <나 혼자 산다>에 소개되면서 여행자들 사이에서 입소문을 타기 시작한 시장이다. 달랏 메인 광장을 중심으로 위치해 있어 일정 중 한 번은 들르게 된다. 달랏 특산품과 잡화는 물론 신선한 과일과 음료, 먹을거리도 빼놓을 수 없다. 달랏의 대표 간식거리인 베트남식 피자 반짱느엉도 맛보자. 푸드트럭이나 상점에서 구입한 먹을거리를 광장 계단이나 의자에 앉아 맥주와 함께 자유롭게 즐길 수 있다.

OPEN 17:00~22:00

MART & MALL

01 빈컴 플라자 Vincom Plaza

베트남을 대표하는 종합 쇼핑몰

베트남 어느 도시를 가든 만나게 되는 유명 쇼핑몰 브랜드. 주로 해당 도시의 가장 중심이 되는 지역, 초고층 주상복합빌딩에 입주해 있어 접근성이 좋다. 호텔, 아파트, 콘도, 패션 브랜드숍과 프랜차이즈 식당가, 빈 마트와 생활용품점은 물론 키즈 카페와 오락실 등 엔터테인먼트 시설도 잘되어 있어 가족 여행객들에게 인기가 좋다.

OPEN 9:30~22:00 SITE vincom.com.vn

02 롯데마트 Lotte Mart

최고의 쇼핑 명소

깔끔한 매장, 친숙한 디스플레이, 친절한 직원들은 물론 곳곳의 한국어 안내판까지 '베트남 물건을 파는 한국 마트' 같다. 입구에는 우리나라 사람들이 주로 구입하는 제품 리스트와 위치가 세심하게 안내되어 있으며, 15만 동 이상 구매 시 숙소까지 무료 배송 서비스도 제공한다. 1층에는 롯데리아 등 우리에게 친숙한 프랜차이즈 매장이 많아 식사를 함께 해결하기에도 좋다. 나트랑에 2개의 지점이 있다.

OPEN 9:00~22:00
SITE lottemart.com.vn

03 나트랑 센터 Nha trang Center

명불허전의 대형 쇼핑센터

빈컴 플라자에 밀려 '가장 큰'이라는 수식어는 더
이상 붙일 수 없게 되었지만, 나트랑 센터의 입지
는 여전히 강력하다. 해변가에 위치한 대형 쇼핑
몰로 쇼핑, 문화생활, 식사까지 모든 것을 쾌적한
실내에서, 그것도 나트랑 비치 전경과 함께 즐길
수 있다. 1층에는 은행과 브랜드숍, 2층에는 대형
슈퍼마켓이 있어서 편리하다. 마트 바로 옆 코코
넛 마사지는 우리나라 여행객들이 즐겨 찾는 인
기 스파 중 하나. 위층 식당가도 이용해볼 만하다.

OPEN 9:00~21:00 SITE www.nhatrangcenter.com

04 고 마트 GO! Mart

현지 물건을 저렴하게 구입하고 싶다면

1990년대 태국에서 처음 문을 연 대형 마트 브랜드로 과거에는 '빅씨 마트'로 불렸다. 2003년 베트남에 진
출한 이후로 빠른 속도로 확장해 베트남에서 가장 대중적인 마트로 자리 잡았다. 규모는 롯데마트보다 작
지만 있을 건 다 있다. 현지인 대상이기 때문에 물품을 저렴하게 구입할 수 있다는 것이 가장 큰 장점이다.

OPEN 8:00~22:00 SITE go-vietnam.vn

05 타카 마트 Taka Mart

나트랑 야시장 부근 대형 마트

나트랑 야시장과 해변 근처에 있어 나트랑의 밤거리
를 산책한 후 숙소로 들어가기 전 들르기 제격이다. 각
종 식료품 뿐만 아니라 여행 중 필요한 물품들을 고루
갖추고 있다. 특히 다양한 컵라면 제품과 건조 과일,
안주 등이 인기가 많다.

OPEN 24시간

OH! MY TIP

나트랑 배달 어플 이용하기

나트랑에서도 어플을 통해서 배달 음식을 주문할 수 있다. 비가 오거나 하루쯤은 숙소에서 머물고 싶다면 배달
어플을 적극 이용해보자. 택시 호출 시 사용하는 '그랩' 어플에서 그랩 푸드로 주문을 하거나 동남아시아 지역에
서 사용 가능한 '배달K' 어플도 사용하기 좋다. 롯데마트 어플을 이용하면 물건을 구입하고 숙소로 배달까지 받을
수 있다.

나트랑·달랏 필수 쇼핑 아이템

커피 & 커피 핀

세계 2위 커피 생산국 베트남에서 커피는 필수 쇼핑 아이템 1순위이다. 드리퍼인 핀도 가격이 저렴해 커피와 함께 선물용으로 구입하기 좋다.

추천 미스터 비엣(MR.VIET) 코코넛 커피, 카페 포(Cafe PHO) 쓰어다 커피, 콘삭(Con soc) 커피, 지세븐(G7) 등

젤리 & 건조 과일

동남아 열대과일 젤리와 푸딩은 아이들 간식으로 최고다. 말린 망고, 코코넛, 바나나 등 건조 과일은 선물용으로 좋다.

추천 코코랜드(Cocoland LOT 100), 체리시 푸딩(Cherish Pudding) 등

차

품질 좋은 수제 차를 저렴하게 구입할 수 있다. 달랏은 커피는 물론 차도 유명하다.

추천 아치카페(ARCHCAFE), 랑팜(L'ANGFARM), 홍차(Hong Tra) 등

견과류

베트남이 캐슈넛 수출 1위 국가라는 사실을 알고 있는가. 특히 나트랑에서 생산되는 캐슈넛은 껍질째 노릇하게 구워낸 것이라 더욱 인기가 좋다. 마카다미아, 연자육 등 다른 견과류도 유명하다.

추천 옌눙(Yen Nhung) 등

과자

단짠 조합으로 우리나라에서도 유명한 코코넛 크래커 등 한번 맛보면 잊을 수 없는 간식거리도 놓치지 말자.

추천 게리(Gery) 치즈 & 코코넛 크래커, 비나밋(Vinamit) 건조 스낵, 커피 조이(Coffee Joy), 반두아농(Banh Dua Nuong) 코코넛칩 스낵, 래핑카우 치즈 디퍼즈(Cheez Dippers), 칼 치즈(Cal Cheese), 티포(Tipo), 코지(COSY), 아하(Ahh) 등

소스 & 조미료

베트남은 전 세계 후추 생산량의 30% 이상을 차지하는 나라이다. 새우 소금, 피시소스, 칠리소스, 꿀, 연유 등도 인기다.

추천 진수남늑(NUOC MAM NAM NGU) & 친수(CHIN-SU) 피시소스, 네슬레 마끼(Maggi) 맛간장, 트레이시 비(TRACY BEE) 꿀 등

베트남 전통술

'베트남 보드카'로 불리는 넵모이는 찹쌀로 만든 전통주로 선물용으로 좋다. 베트남 쌀국수와 해산물과도 잘 어울린다.

추천 넵모이(Nep Moi)

아오자이

아오자이는 '긴 옷'이라는 뜻의 베트남 전통의상이다. 나트랑 센터, 담 시장, 야시장, 롯데마트에서 구입할 수 있다.

인스턴트 쌀국수

'베트남의 맛' 쌀국수는 귀국하면 가장 생각나는 아이템인 만큼 놓치지 말자.

추천 비폰(VIFON), 하오하오(Hao Hao), 3미엔(3Mien) 등

알로에 젤 & 코코넛오일 & 선크림

겨울철 바디오일로 좋은 코코넛오일(식용 가능)은 물론 알로에 젤과 선크림도 필수 쇼핑 아이템이다.

추천 바나나 보트(BANANA BOAT) 알로에 젤 & 선크림 110, 선실크(SUNSILK), 비엣코코(VIETCOCO) 오일 등

건어물

강렬한 감칠맛이 입 안에 맴도는 베트남의 건어물은 맥주 안주로 제격이다. 말린 닭고기는 간식으로도 좋다.

추천 다멕스(Tepsay Damex) 새우, 빈타오(Bintao BENTO) 오징어, 짜봉비엣(Cha Bong Viet Kho ga cay) 닭고기 등

라탄 제품

라탄으로 만든 가방과 접시, 찻잔, 컵받침 등은 여성 여행자들에게 특히 인기다.

노니 & 모링가

베트남산 노니와 모링가는 당뇨 예방, 면역 체계 강화, 노화 예방에 좋아 인기다. 환, 오일, 원액, 분말, 캡슐, 비누 등 제품도 다양하다.

추천 프리미엄 노니(Premium Noni), 모리스 모링가 (MORIS Moringa) 캡슐 등

과일 무늬 셔츠

베트남 여행의 분위기를 한껏 올려줄 최고의 쇼핑 아이템. 어린이용도 있어 가족 여행자들이 구입하기에도 좋다.

베트남 열대 과일 즐기기

패션프루트 Passion Fruit

리조트 뷔페 과일 코너에 단골로 등장한다. 새콤달콤한 맛 덕분에 식후 디저트로 제격이다. 반을 가른 후 티스푼으로 떠 먹으면 되는데, 보통 씨앗도 함께 씹어 먹는다.

잭프루트 Jackfruit

베트남에서는 '밋'이라고 불리는 열대과일로 일명 '세계에서 가장 큰 과일'이다. 생김새는 두리안과 비슷하지만 냄새는 심하지 않다. 껍질을 벗기면 나오는 노란 과육은 식감이 독특하고 맛은 망고와 비슷하다.

두리안 Durian

열대과일의 왕으로 불리지만 냄새가 보통 심한 게 아니다. 울퉁불퉁 기괴한 외모와 중독성 있는 맛이 아이로니컬한 매치를 이룬다. 당도가 높고 영양소가 풍부해 원기회복에도 좋다.

용안 longan

마치 용의 눈 같다고 해서 붙여진 이름으로 베트남에서는 '난'이라고 불린다. 생과일로는 유통기한이 짧은 편으로, 갈색으로 빛이 나며 가지에 잎과 함께 달린 것을 고르는 것이 좋다. 맛은 리치나 람부탄과 비슷하다.

망고스틴 Mangosteen

단단한 자주색 껍질이 특징으로 열대과일의 여왕
이라 불린다. 속에 하얀 열매를 품고 있는데 굉장
히 부드럽고 맛이 좋다.

용과 Dragon fruit

강렬한 겉모습에 비해 부드러운 맛과 식감을 자랑
한다. 미네랄과 항산화물질이 풍부하다.

람부탄 Rambutan

꼭 성게처럼 생긴 껍질을 벗겨내면 촉촉하고 달콤
한 알맹이가 들어 있다.

망고 Mango

베트남에서 흔하디 흔한 과일 중 하나. 1~9월 내
내 맛볼 수 있다. 노란색은 단맛이 강하고 초록색
은 신맛이 강하다.

파파야 Papaya

향은 좀 특이하지만 과육 자체는 아주 달고 부드럽
다. 초록색 파파야는 요리 재료로 사용하고 오렌지
색 파파야를 과일로 즐긴다.

코코넛 Coconut

야자수 열매로 과즙이 가득하다. 맛은 좀 밍밍하지
만 영양은 풍부하다. 땀을 많이 흘린 날에 마시면
체력 회복과 갈증 해소에 좋다.

베트남 쇼핑 노하우 7

1 베트남 최고의 쇼핑 천국은 대형마트

라탄 가방, 베트남 전통 모자, 알록달록 과일 티셔츠 등 베트남에는 구매 욕구를 불러일으키는 쇼핑 아이템이 넘쳐난다. 어디서든 쉽게 구할 수 있지만 전통시장이나 노점에서는 자칫하면 바가지를 쓸 수 있다. 나트랑에 있는 롯데마트, 빈컴 플라자 등 대형마트에서는 다양한 아이템을 정찰 가격에 쇼핑할 수 있다. 에어컨이 풀가동되는 쾌적한 실내에서 더위를 식힐 수 있다는 것도 장점이다.

2 편리한 배달 서비스 이용하기

롯데마트 배달 앱 '스피드엘(Speed L)' 등 베트남 대형 마트들은 선진화된 배달 시스템을 갖추고 있다. 스마트폰으로 쇼핑은 물론 숙소까지 당일 배달이 가능하다. 스피드엘 앱을 다운받고 원하는 지점을 선택한 후 물건을 고르고 물건 받을 장소(숙소명)를 기입하면 된다. 카드 결제 또는 배달 직원을 통한 현금 결제(VND)도 가능하다. 마트에서 직접 쇼핑한 후 배달 서비스를 신청하는 것도 좋다. 15만 동 이상 구입하면 배달비가 무료다.

3 다양한 곳에서 즐기는 쇼핑의 재미

편리함과 효율성을 따진다면 마트가 최고지만 쇼핑도 여행의 일부라고 여기는 편이라면 로컬 시장이나 야시장 등 다양한 곳에서 쇼핑을 즐겨보자. 현지인들의 진정한 일상을 들여다볼 수 있고, 신선한 채소와 갓 뽑아낸 쌀국수면 등 다양한 식재료도 손쉽게 구할 수 있다. 낯선 언어로 줄다리기하며 흥정의 재미를 느껴보는 것도 여행의 묘미가 아닐까.

4 쇼핑 품목 미리 공부하기

사실 베트남이 쇼핑으로 유명한 여행지는 아니다. 그러나 저렴한 가격으로 소소한 쇼핑의 묘미를 즐길 수 있다는 점에서 베트남에서의 쇼핑은 절대 빼놓을 수 없는 요소이다. 품질 좋고 저렴한 건조과일, 달랏 커피 농장의 갓 볶은 커피, 지역 장인들의 수공예품 등 여행지의 맛과 멋을 간직한 쇼핑 아이템들은 명품 쇼핑과는 다른 즐거움을 선사할 것이다.

5 엄선한 기념품들이 한곳에

짧은 일정 안에 잠을 줄여가며 최대한 많은 것을 보고 먹고 즐기려 하는 우리나라 여행자들에게 느긋한 쇼핑 타임은 다소 부담스러울 수 있다. 사야 할 품목이 정해져 있다면, 우리나라 사람들이 즐겨 구입하는 아이템을 엄선해서 판매하는 한국인 전용 기념품점을 이용해보는 것도 좋다. 지세븐(G7) 커피, 각종 인스턴트 쌀국수, 아오자이 인형 등 인기 제품들로 가득 채워져 있어 시간을 아낄 수 있다.

6 베트남에서 블랙 프라이데이를!

쇼핑으로 유명한 세계 주요 도시들과 마찬가지로 베트남에서도 11월 4번째 금요일에 '블랙 프라이데이' 할인 행사를 대대적으로 진행한다. 전국 각지의 쇼핑몰에서 대규모 할인 행사가 진행되는데 할인폭도 크고 영업시간도 자정 무렵까지 연장된다. 여행 일정이 맞는다면 제대로 쇼핑을 즐길 수 있는 기회이니 놓치지 말자.

7 할인 혜택 받으며 쇼핑하자

베나자 VIP 카드 또는 <오! 마이 나트랑·달랏> VIP 카드 소지자라면 할인 혜택을 받으며 쇼핑을 즐길 수 있다. 로로앤코(Loro&Co.)는 나트랑 최고의 오브제 하우스 숍으로 귀국 전 쇼핑을 즐기기 좋다. 선글라스, 백 등 악세서리 의류와 모자, 여행 용품까지 갖추고 있다. 그랜드 스파, 야시장, 콩 카페 등이 근처에 있어 여행 중 들르기 좋다.

SPA & MASSAGE 스파 & 마사지

 그랜드 스파 Grand Spa

나트랑 최고의 스파

나트랑에서 빼놓을 수 없는 것이 바로 스파다. 스파로 여행의 피로도 풀고, 최고의 서비스로 힐링을 경험할 수 있다. 그랜드 스파는 나트랑 최대 규모의 시설에서 베트남 전통 스타일 마사지와 스파를 체험할 수 있는 곳이다. 2인실, 3인실, 커넥팅 룸으로 구성되며 모든 룸에 개별 샤워장을 갖추고 있다. 야시장 후문에서 1분 거리에 위치, 베나자 셔틀버스의 시내 종점으로 이용하기 편리하다. 환전, 유심 구입, 무료 짐 보관, 시티맵 제공 서비스도 받을 수 있다.

FARE 그랜드 스파 황제
90분 92만 동, 베트남
전통 허브볼 마사지
90분 82만 동
OPEN 09:00~22:00

라운지 마사지 Lounge Massage

가족 여행객을 위한 최고의 선택

정통 베트남 스타일 마사지를 선보이는 곳이다. 들어가
자마자 카페같이 편안하고 고급스러운 인테리어가 눈길
을 사로잡는다. 마사지 시작 전 1층 카페에서 웰컴 티를
마시며 아픈 부위나 압의 세기 등을 묻는 질문지를 작성
한 후 마사지에 들어간다. 최신식 시설은 물론 한국어 메
뉴, 키즈 마사지 메뉴, 짐 보관 서비스까지 세심한 배려
가 돋보인다.

FARE 시그니처 마사지(90분) $38, 핫스톤 아로마 마사지(90분)
$35, 아로마 마사지(60분) $27
OPEN 9:00~22:00
*예약은 카카오톡 검색창에서 '니트랑스파예약' 검색

03 로얄 살롱 Royal Salon

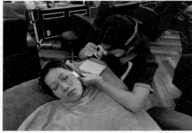

남녀노소 누구나 즐길 수 있는 페이셜 케어

베트남 전통 방식의 귀 청소와 페이셜 케어 코스를 제공하는 럭셔리 살롱으로, 여행 예능 프로그램에도 소개된 곳이다. 4층 공간을 알차게 꾸며놓은 덕분에 풀코스 관리를 받는 기분을 느낄 수 있다. 편안한 분위기의 로비에서 웰컴 드링크를 마시며 체크리스트 작성 후 위층으로 이동하면 족욕으로 시작해(남성은 면도), 얼굴 팩, 귀 청소, 손톱 정리, 마사지까지 받을 수 있다. 마사지가 끝난 후엔 3층에서 스트레칭과 샴푸 서비스를 제공한다.

FARE 심플 코스(30분) $18, 베이직 코스(60분) $24, VIP 코스(90분) $29
OPEN 9:00~22:00
*예약은 카카오톡 검색창에서 '나트랑스파예약' 검색

04 망고 스파 앤드 네일 Mango Spa & Nail

한국에 온 듯 편안한 서비스

여행자 거리라는 위치와 상큼한 인테리어, 무엇
보다도 한국어로 안내를 받을 수 있다는 점이 매
력적인 곳이다. 시향 후 마사지 오일을 선택할 수
있고 베드가 아닌 마루에서 마사지를 받을 수 있
어 아기와 함께한 가족 여행객의 선호도가 큰 편
이다. 한국어 메뉴, 한국인 직원, 키즈 클럽 운영
등의 서비스는 물론 베트남 마사지사와의 소통을
위한 카드까지 세심하게 마련되어 있다. 1층 로비
안쪽에 있는 네일숍에서 훌륭한 실력의 네일아트
도 저렴하게 받을 수 있다.

FARE 핫스톤 마사지(90분) $35, 스웨디시 마사지(60분)
$26, 피부 진정 마사지(60분) $27 **OPEN** 9:00~22:00
*예약은 카카오톡 검색창에서 '나트랑스파예약' 검색

---

05 베나자 풋 스파 VENAJA FOOT SPA

여행의 피로를 푸는 풋 마사지

나트랑 유일의 고급형 발 마사지 전문 스파로 프라이빗한 서비스를 경험할 수 있다. 힐링, 피로회복, 휴식
등 타입 등 다양한 발 마사지 프로그램을 제공한다. 베나자 시내 트래블 라운지 건물 2층, 4-5층이 마사지
케어룸으로 한층 당 2개의 대형 룸으로 이루어져 있다. 차분하고 편안한 휴식공간으로 많은 여행객들의
여독을 해소하여 주며, 스파 이용객은 건물 3층에 위치한 샤워장을 무료로 이용할수 있다.

FARE 베이직 풋 스파(30분) $10, 엘레강스 풋 스파(30분) $12, 키즈 풋 스파(30분) $8 **OPEN** 9:30~22:30
*예약은 카카오톡 검색창에서 '나트랑스파예약' 검색

RESORT

 01 ## 알마 리조트 깜라인
Alma Resort Cam Ranh

5성급

나트랑의 Top of Top 리조트

최고의 시설과 전경을 자랑하는 리조트로 깜라인 공항에서 차량으로 10분 거리에 위치한다. 베트남에서 아름답기로 손꼽히는 나트랑 해변과 어우러진 일대 전경, 현대적인 인테리어는 물론 다양한 부대시설까지 다른 유명 휴양지 못지 않게 만족스럽다. 스위트룸과 빌라로 구성된 객실 모두 오션뷰로 배치되어 있어 여행객들에게 많은 사랑을 받고 있다.

시설 및 서비스 전용 해변, 수영장, 키즈 풀, 카바나, 레스토랑, 바, 미니 골프 코스, 키즈 클럽, 마트 등
체크인·체크아웃 14시·12시

 02 ## 미아 리조트 나트랑
Mia Resort Nha Trang

5성급

초록빛 자연 속 온전한 휴식

도심에서 다소 거리가 있지만 편안하고 평화로운 분위기로 매력을 더하는 리조트이다. 아름답고 넓은 전용 해변, 인피니티 풀 등 다양한 부대시설을 갖추고 있다. 북적이는 시내보다 차분히 여유를 즐길 수 있어 만족도가 높다.

시설 및 서비스 전용 해변, 주차장, 레스토랑, 스파, 피트니스 센터, 수영장, 키즈 풀 등
체크인·체크아웃 14시·12시

03 아미아나 리조트 나트랑
Amiana Resort Nha Trang

힐링을 선사하는 자연 친화적 리조트

멋진 나트랑 바다 풍경, 고급스러운 룸 컨디션과 화려한 부대시설로 오랫동안 나트랑 북부 지역 최고의 인기 호텔로 자리매김해왔다. 여유로운 휴가를 보내기 좋은 곳으로 가족 여행자, 허니문 여행객들이 주로 선호하는 곳이다. 전용 해변에서 보는 일몰이 환상적이니 놓치지 말자.

시설 및 서비스 수영장, 키즈 클럽, 헬스장, 룸서비스, 로비 바, 풀 바, 스파 등
체크인·체크아웃 14시·12시

---

04 모벤픽 리조트 나트랑
Movenpic Resort Nha Trang

최고의 접근성을 자랑하는 고급 리조트

럭셔리한 글로벌 체인 리조트로 깜라인 공항에서 6km 거리라 접근성이 매우 좋다. 전용 해변을 갖추고 있으며, 자연 친화적 느낌으로 꾸며진 오션뷰 객실과 프라이빗한 풀 빌라로 구성되어 있다.

시설 및 서비스 전용 해변, 레스토랑, 야외 수영장, 워터 슬라이드, 미니 골프, 테니스장, 피트니스 센터, 사우나, 무료 카바나 등
체크인·체크아웃 15시·12시

ALL INCLUSIVE
올 인클루시브

---

01 셀렉텀 노아 리조트 깜라인
Selectum Noa Resort Cam Ranh

(4.5성급)

아름다운 해변에서 부담 없는 휴양을

2022년에 오픈한 올 인클루시브 리조트로, 공항에서 14분 거리인 데다 바이다이 비치와도 가까워 긴 이동이 제한적인 가족 여행객에게 안성맞춤이다. 투숙 기간 동안 매일 밤 11시까지 모든 식사와 스낵 라운지 및 바에서의 맥주, 와인 등이 무제한으로 제공된다. 최신식 시설에 숙박료도 합리적인 수준이라 상당히 매력적이다.

시설 및 서비스 전용 해변, 수영장, 피트니스 센터, 스파, 셔틀버스, 주차장, 키즈 클럽, 레스토랑, 미니골프 등
체크인·체크아웃 14시·12시

---

02 스완도르 깜라인
Swandor Cam Ranh

(5성급)

올 인클루시브의 정석

바이다이 비치 전망을 자랑하는 올 인클루시브 리조트. 매끼 다양한 식사와 식음료를 즐길 수 있는 것은 물론, 라이브 공연과 레이저 쇼를 감상할 수 있는 야외 무대가 마련돼 있다. 전 객실 오션뷰로 객실 내 미니바를 무료로 이용할 수 있으며, 키즈 풀, 놀이터, 키즈 클럽 등 어린이 전용 시설도 갖춰져 있다.

시설 및 서비스 수영장, 오션 레스토랑, 스파, 피트니스 센터, 수상 스포츠 등
체크인·체크아웃 14시·12시

03 # 리비에라 리조트 나트랑
Riviera Resort Nha Trang

4.5성급

훌륭한 부대시설의 올 인클루시브 리조트

2015년 오픈한 올 인클루시브 리조트로 훌륭한 부대시설과 룸 컨디션을 자랑한다. 162개의 객실과 80개의 방갈로로 구성되어 있어 선택의 폭이 넓다. 롱 슬라이드가 있는 워터파크 수영장 덕분에 가족 여행객들의 선호도가 높다.

시설 및 서비스 수영장, 키즈 풀, 레스토랑, 바, 피트니스 센터, 스파, 키즈 클럽 등
체크인·체크아웃 14시 · 12시

OH! MY TIP

올인클루시브?
올 인클루시브 (all-inclusive)는 사전적으로 '모두를 포함한'이라는 리조트나 호텔, 풀빌라의 가격에 식사나 부대시설 이용 등의 가격이 포함되어 있는 것을 의미한다. 대개 하루 3끼를 모두 주는 FB(Full Board, 숙박비+조식+중식+석식)에 음료나 부대시설 이용 등을 제공한다.

· **식사**: 올 인클루시브 요금에는 아침, 점심, 저녁식사와 함께 다양한 간식과 음료가 포함된다. 고급 리조트의 경우에는 다양한 레스토랑 중 원하는 곳에서 식사할 수 있는 옵션도 제공한다.

· **음료 및 주류**: 올인클루시브 패키지에는 모든 알콜 및 비알콜 음료가 포함된다. 리조트나 호텔 내의 바, 라운지, 수영장 바 등에서 맘껏 주류를 즐길 수 있다는 것이 올 인클루시브의 최대 장점으로 꼽힌다.

· **활동 및 시설**: 수영장, 스파, 짐, 해변 액티비티 등의 다양한 시설에 대한 이용 요금도 포함되어 있다.

· **이벤트 및 엔터테인먼트**: 일부 풀빌라와 리조트에서는 다양한 공연이나 파티 등의 엔터테인먼트 프로그램도 무료로 이용할 수 있다.

FOR FAMILY

01 멜리아 빈펄 깜라인 비치 리조트
Melia Vinpearl Cam Ranh Beach Resort   〔5성급〕

풍경에서 체험까지 모든 것을 갖춘

공항에서 차량으로 10분 거리에 위치한 풀 빌라 타입의 리조트로, 빈펄 섬 밖에 위치하지만 빈원더스까지 무료 셔틀을 이용할 수 있는 데다 빈컴 플라자와 야시장 등 시내 명소와도 가까운 편이다. 깜라인 해변의 길고 깨끗한 해안선과 수정처럼 맑은 바다가 어우러져 독특한 전망을 자아낸다. 유럽의 신고전주의 건축양식을 구현한 모든 빌라는 전용 수영장과 정원까지 갖추고 있어 더욱 좋다.

<u>시설 및 서비스</u> 전용 해변, 야외 수영장, 스파, 키즈 클럽, 레스토랑 등
체크인·체크아웃 14시 · 12시

02 아나 만다라 리조트 Ana Mandara Cam Ranh

도심에서 즐기는 프라이빗한 시간

산과 바다 사이 아름다운 자연 경관 속 펼쳐진 그림 같은 뷰와 탁월한 프라이버시를 선사하는 리조트로, 관광객들의 입소문을 타고 최근 나트랑 리조트의 랜드마크로 떠올랐다. 공항에서 15분 거리로 나트랑 시내에 위치해 해변, 빈원더스, 병원, 야시장 등 시내 주요 스폿과도 가깝다. 나트랑 최고의 조식을 선보이는 것으로도 유명하다.

<u>시설 및 서비스</u> 수영장, 피트니스 센터, 키즈 클럽, 전용 해변, 스파, 레스토랑 등 **체크인·체크아웃** 14시 · 12시

ROMANTIC RESORT

01 랄리아 닌반베이
L'Alya Ninh Van Bay

5성급

온몸으로 느끼는 청정 자연

닌반베이 섬 안에 자리한 풀빌라 리조트. 나트랑의 자연을 그대로 간직한, 프라이빗하고 낭만적인 풍경에 최고 수준의 서비스까지 더해져 더없이 만족스럽다. 하늘과 바다가 마주한 듯한 인피니티 풀 등 각종 부대 시설이 잘 갖춰져 있으며 각 객실마다 전문 버틀러가 있어 무척 편리하다. 프로포즈 및 허니문 장소로 인기가 많다.

<u>시설 및 서비스</u> 전용 해변, 수영장, 스파, 피트니스 센터, 키즈 클럽, 자전거 대여 등
<u>체크인·체크아웃</u> 14시·12시

02 아레나 깜라인 리조트
The Arena Cam Ranh Resort

4성급

공항 근처 뷰 맛집

2022년 공항에서 5분 거리에 오픈한 최신식 리조트다. 모던한 인테리어와 쾌적한 객실을 보유하고 있으며 특유의 계단식 디자인을 자랑하는 리조트 외부가 인상적이다. 아름다운 바닷가 전망을 감상하며 인피니티 풀, 쇼핑몰 등 다양한 부대시설을 이용할 수 있다.

<u>시설 및 서비스</u> 스파, 피트니스 센터, 키즈 클럽, 레스토랑 등
<u>체크인·체크아웃</u> 14시·12시

CITY HOTEL

도심 호텔

---

01 버고 호텔
Virgo Hotel

5성급

시설과 가성비를 모두 잡고 싶다면

나트랑 중심가에 위치한 도심 호텔로 2019년 오픈했다. 여행자들 사이에서 5성급 호텔 중 최고의 가성비를 자랑하는 곳으로 입소문이 자자하다. 도심에 자리한 만큼 어디로든 이동하기 편하며, 나트랑에 늦게 도착하거나 늦은 밤 출발일 때 하루 묵기에도 좋다. 룸 컨디션도 좋고 공간이 널찍한 것도 장점으로 꼽힌다.

<u>시설 및 서비스</u> 레스토랑, 풀 바, 스파, 피트니스 센터, 수영장, 미팅 룸 등
<u>체크인 · 체크아웃</u> 14시 · 12시

---

02 르모어 호텔
LeMore Hotel

4성급

위치 하나로 만족도가 업

평화로운 바다와 활기찬 도심을 동시에 느낄 수 있는 도심 호텔이다. 도보 5분 거리에 해변, 10분 거리에 야시장이 있어 주변 접근성에 최적화되어 있으며, 호텔 내에 인피니티 풀이 갖춰져 있어 관광뿐 아니라 휴양까지 즐길 수 있다. 밤 비행편을 이용하며 저렴하고 깨끗한 호텔을 찾는다면 괜찮은 선택지이다.

<u>시설 및 서비스</u> 인피니티 풀, 피트니스 센터, 스파, 레스토랑, 바 등
<u>체크인 · 체크아웃</u> 14시 · 12시

호텔 & 리조트 용어 제대로 알기

식사 체크

BB(Bed and Breakfast): 리조트에 머무는 동안 조식이 제공되는 밀 플랜(meal plan).

HB(Half Board): 절반만 제공하는 밀 플랜이란 뜻으로 보통 조식과 석식을 제공한다.

FB(Full Board): 리조트에 머무는 동안 조식, 중식, 석식 등 전식이 제공되는 밀 플랜이다.

AL(ALL Inclusive): FB와 드링크가 제공되는 밀 플랜으로 1일 3회 식사와 음료, 맥주나 와인 같은 주류가 제공된다. 일부 프리미엄 주류는 추가 요금이 발생한다.

컴플리멘터리(Complimentary): '컴프'라고도 한다. 미니바의 음료 외에 무료로 제공되는 생수, 커피, 차 등을 뜻한다.

객실 등급

스탠더드(Standard): 원룸 형태의 기본 객실 (26m²).

슈페리어(Superior): 스탠더드보다 한 단계 위 객실로 샤워 부스가 있다.

디럭스(Deluxe): 슈페리어보다 한 단계 위 객실로 샤워 부스와 욕조가 있다.

이그제큐디브(Executive): 디럭스 수준의 룸 컨디션과 고층에 위치한 객실로 전용 라운지가 있다.

스위트(Suite): 침실과 객실, 욕실이 구분된 고급 객실로 고급 침구와 가구를 사용한다. 스위트룸도 주니어, 프리미엄, 로열 스위트로 구분된다.

전망 및 형태

라군/시티뷰(Lagoon/City View): 강이나 호수, 도심이 보이는 객실.

오션뷰(Ocean View): 바다가 보이는 객실.

파셜 오션뷰(Partial Ocean View): 발코니로 나와야 바다가 보이거나 바다가 부분적으로 보이는 객실.

풀 억세스(Pool Access): 객실 베란다를 통해 풀장으로 연결되는 객실.

풀빌라(Pool Villa): 작은 정원과 프라이빗 풀이 구비된 독채형 숙소.

가든 빌라(Garden Villa): 프라이빗 풀이 없는 독채형 숙소.

워터 코티지/오버워터 방갈로(Water Cottages/Overwater Bungalow): 바다 위에 지어진 객실.

결제 및 시설

디파짓(Deposit): 노쇼(No-Show) 및 호텔을 이용하는 동안 유료 미니바를 이용하거나 객실 비품이 훼손되었을 경우를 위해 맡기는 보증금으로, 체크인 시 미리 결제하고 체크아웃 시 환불된다.

캔슬 차지(Cancel Charge): 예약한 호텔을 취소할 경우 호텔 측에 부담해야 하는 수수료로 취소 날짜에 따라 수수료가 달라진다.

인피니티 풀(Infinity Pool): 수영장 한쪽이 오픈된 야외 수영장.

비치사이드 풀(Beachside Pool): 수영장 한쪽이 바다와 연결된 듯 보이도록 설계된 곳.

컨시어지(Concierge): 로비나 프론트 데스크에 상주하는 직원을 지칭한다. 호텔 시설과 서비스에 대한 응대를 맡는다.

나트랑 리조트 즐기기

수상 스포츠 즐기기

나트랑 리조트 대부분이 전용 해변을 소유하고 있다. 외부 관광객들이 접근할 수 없는 프라이빗 비치에서 휴식과 해수욕을 즐기며 여유를 만끽하자. 한 단계 더 깊숙이 바다를 즐기고 싶다면 리조트 숙박객 전용 수상 스포츠 프로그램에 참여해보자. 카약, 스노클링, 스쿠버다이빙, 패러세일링, 제트스키 등 종류가 아주 다양하다. 옵션 프로그램이기 때문에 비용이 발생하지만 저렴한 여행사 프로그램에 비해 훨씬 더 쾌적하고 수준 높은 스포츠를 즐길 수 있다.

추천 리조트: 아나 만다라, 아미아나 리조트, 멀펄르 혼탐 리조트 등

리조트 안에서 문화생활 즐기기

'먹고 수영하는 것 외에 리조트에서 할 게 있어?'라고 묻는다면 아직 당신은 제대로 된 리조트를 못 만나본 것일지도 모른다. 숙박객이 완벽한 일정을 보낼 수 있도록 만반의 준비를 하는 리조트들은 상시적인 문화공연 프로그램으로 만족도를 높이고 있다. 리조트에서 운영하는 대부분의 레스토랑에서는 디너 시간에 맞춰 라이브 공연을 진행하고 있으며, 리조트 내에 영화관을 갖추고 있는 곳들도 있다.

추천 리조트: 디 아남 리조트, 아나 만다라, 다이아몬드 베이 리조트 등

쿠킹 클래스 경험하기

여행 중 베트남 음식에 대해 배워보는 것도 색다른 경험이 될 것이다. 장 보기부터 호텔 셰프의 체계적인 레시피, 맛있는 식사까지 1석 3조의 즐거움을 누릴 수 있다. 쉐라톤 호텔이 운영하는 전용 쿠킹 스쿨의 경우 숙박객 전용임에도 빈자리를 찾아보기 어렵다는 소문이다. 쌀국수부터 메인 요리, 디저트에까지 서너 가지의 요리를 배울 수 있다.

추천 리조트: 쉐라톤, 미아 리조트, 두엔하 리조트 등

키즈 클럽에서 아이들과 함께

자녀와 함께하는 여행에서 가장 고민되는 점은 '어떻게 해야 아이들이 지루해 하지 않고 즐거운 시간을 보낼 수 있을까'가 아닐까. 이색적인 체험도 좋지만 안전사고에 대한 걱정도 크다. 가족 여행객들이 많이 방문하는 나트랑의 대형 리조트들은 대부분 높은 수준의 키즈 클럽과 어린이 체험 프로그램을 갖추고 있다. 빈펄 리조트의 경우 키즈 전용 수영장, 다양한 놀이기구는 물론 베이비시터 서비스까지 제공하고 있다.

추천 리조트: 빈펄 리조트, 빈펄 럭셔리, 퓨전 리조트, 아미아나 리조트, 스완도르 등

선라이즈 요가 하기

푸른 바다를 옆에 두고 파도소리를 들으며 몸과 마음을 다스리는 요가로 아침을 시작하자. 웬만한 호텔과 리조트에서 운영하는 프로그램 중 하나가 바로 '선라이즈 요가' 프로그램이다. 경우에 따라 유료로 운영되기도 하지만 대부분은 숙박비에 포함되어 있으니 미리 확인해두자. 대개 피트니스 스튜디오에서 진행하는데, 디 아남 등의 리조트에서는 수평선 너머로 떠오르는 해를 보며 수업을 받는 독특한 경험을 해볼 수 있다.

추천 리조트: 디 아남 리조트, 퓨전 리조트 등

GOLF

01 KN 깜라인 링크스 CC KN Cam Ranh Links Golf

2018년에 개장한 곳으로 공항에서 10분, 시내에서 1시간 거리에 위치한다. 그렉 노먼이 설계한 해안가에 27홀 코스로 조성되어 있으며 그린 컨디션이 좋은 편이다. 멋진 풍경과 함께 라운딩을 즐길 수 있어 더욱 좋다.

SITE www.kngolflinks.com

02 나트랑 빈펄 CC Vinpearl Golf

2012년에 개장한 7헥타르 규모의 챔피언십 골프장으로 모든 홀에서 바다 전망을 즐길 수 있다. 베트남 최초의 국제 표준 골프 코스를 선보인 곳으로 IMG 월드와이드가 디자인했다.

SITE vinpearl.com

03 다이아몬드 베이 골프 CC Diamond Bay Golf Villas

2008년 개장한 곳으로 7,244야드, 총 18
홀로 국제대회 규모를 갖추고 있다. 장엄
한 산, 백사장 해변, 푸른 바다와 하늘을
감상하며 라운딩을 즐길 수 있다. 공항에
서 15분, 시내에서 15분 소요된다.

SITE diamondbaygolfvillas.com

04 달랏 쌈 뚜옌람 CC SAM Tuyen Lam Golf Club

2014년 개장한 곳으로 뚜옌람 호수 근처에
위치하며 달랏 시내에서 25분 정도 소요된
다. 베트남 국영은행인 사콤 뱅크가 소유하고
있는 18홀 코스로 골프 연습장, 유럽풍 클럽
하우스, 리조트, 사우나, 마사지 등의 시설을
갖추고 있다.

SITE samtuyenlamgolf.com.vn

05 달랏 AT 1200 CC The Dalat AT 1200

2015년 개장한 골프장으로 2016년 KLPGA
윈터 투어 레이디스 챔피언십을 개최한 곳이
다. 호수와 소나무숲으로 이루어진 아름다운
경관을 자랑하며 공항에서 30분, 시내에서
50분 정도 소요된다.

SITE dalat1200.com

나트랑 여행하기

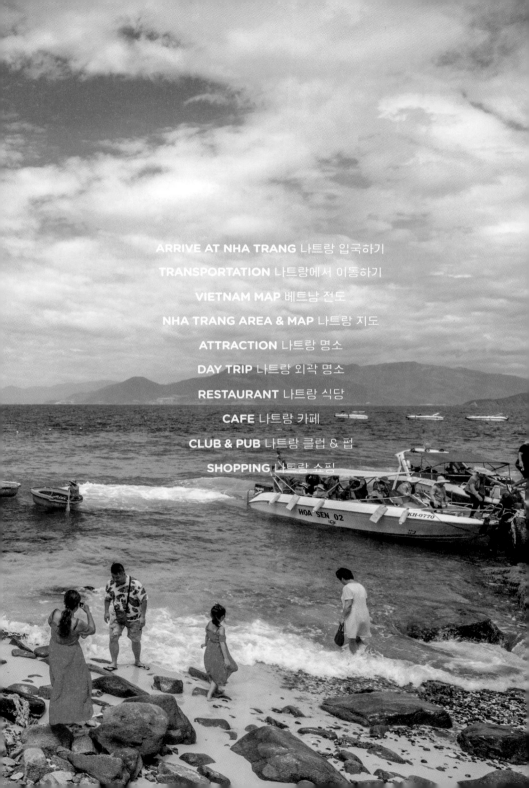

ARRIVE AT
NHA TRANG

깜라인 국제공항 Cam Ranh International Airport(CXR)

나트랑 시내에서 약 30km 남쪽에 위치한다. 1960년대 베트남전쟁 당시 미국 해병대가 건설한 공군기지였으며 2004년 민간 공항으로 공식 개항했다. 공항 코드는 CXR(IATA), VVCR(ICAO)이다. 2018년에 오픈한 신청사(제2공항)는 국제 기준에 걸맞은 시설과 서비스를 갖춘 것으로 평가받고 있다. 성수기 기준 매일 80편 이상의 항공편이 운항되고 있으며 최대 14,500명의 승객을 처리한다.

OH! MY TIP

패스트 트랙을 이용하자

나트랑 깜라인 국제공항의 패스트 트랙은 유료 입국 서비스이다. 입국 심사 시 대기가 많을 경우 VIP 창구를 통해서 따로 입국 심사를 받을 수 있다. 항공기 도착 후 셔틀로 공항 1층에 도착하면 직원이 신청자 이름판을 들고 대기하고 있다.

공항에서 나트랑 시내로

깜라인 국제공항에서 나트랑 시내와의 거리
는 약 30km로 차량으로 50분 소요된다. 택
시를 이용할 경우 공항청사 밖으로 나오면
택시 승강장을 바로 찾을 수 있다. 미터기가
있지만, 타기 전에 미리 숙소 이름을 말하고
정확한 요금을 흥정하는 것이 좋다. 요금은
50만 동 내외다.

공항버스의 경우 18번 버스를 이용하자. 공
항에서 나와 3번 출구로 가면 'City Suttle

Bus'라 쓰인 표지판을 발견할 수 있다. 그 앞에서 기사에게 목적지를 말하고 요금을 현금으로 지불하면 된
다. 배차 간격은 30분이며, 요금은 인당 6만 5천 동이다. 만약 시내 중심가와 멀리 떨어진 리조트로 이동한
다면 숙소의 픽업 서비스를 이용하자.

버스
신 투어리스트(The Sinh Tourist), 한 카페(Hanh
Café) 등 여행사를 통해 쉽게 예약할 수 있다.
소요시간 약 4시간 요금 20만 동 내외

택시
대당 요금이므로 동승자를 구하면 요금을 나눠 낼
수 있다.
소요시간 약 3시간 요금 130~150만 동

베나자 공항 픽업과 샌딩

베나자에서 직접 운영하는 픽업과 샌딩 서비스다. 베나자 트래블 라운지 공항점 앞에서 픽업 포인트 확인
후 전용 차량을 이용할 수 있다. 4인승, 7인승, 16인승, 30인승, 45인승 중 선택이 가능하며 픽업 서비스
이용 시 풋스파 1인 무료 혜택을 받을 수 있다. 비용에는 톨게이트 요금과 기사 팁이 포함되어 있다. 픽업
신청 시 항공편과 호텔명, 샌딩 신청 시 탑승 호텔명을 적으면 된다.

베나자 트래블 라운지 공항점

베나자 회원을 위한 공간

베나자에서 운영하는 깜라인 공항 트래블 라운지는 베나자 회원이라면 자유롭게 이용할 수 있다. 24시간 운영하기 때문에 공항에 늦게 도착하는 경우, 또는 베나자 공항 픽업 서비스, 무이네 해돋이 투어 및 얼리 모닝 투어를 이용하는 경우에 무척 편리하다. 공항 청사 내에 위치하며 환전, 유심, 짐

보관 등 서비스를 제공한다. 단, 캐리어 외 쇼핑백, 비닐봉지, 백팩 등 봉인 스티커를 부착할 수 없는 짐은 청사 규정에 따라 보관할 수 없다. 짐을 트래블 라운지에 잠시 보관할 경우에도 짐 보관 서약서를 작성해야 한다.

베나자 렌터카 이용하기

빠르고 편한 베나자 렌터카

나트랑의 렌터카는 대부분 기사까지 포함되어 있어서 운전에 대한 부담도, 길 찾기나 주차에 대한 걱정도 할 필요가 없다. 공항 출구 바로 왼쪽에 베나자 픽업 포인트가 지정되어 있어서, 예약자명 확인 후 바로 기사와 만날 수 있다. 항공편 연착, 입국 절차 지연, 유심 구매 등으로 다소 늦어져도 기사가 변함없이 대기하고 있고 기사 팁, 톨게이트 비용 등 추가 금액이 없어 편리하다.

편한 일정 관리 및 신속한 서비스

기사와의 소통이 원활하지 않을 경우를 대비해 렌터카 예약 시 대략의 여행 일정을 알려주면, 사전에 기사에게 전달해 시외 지역 추가 요금 등을 미리 안내 받을 수 있다. 일정 변경이 있을 경우에는 기사에게 원하는 목적지를 구글맵을 통해 보여주면 된다. 픽업 시간 변경 등 예약 관련 사항은 카카오톡 채널을 통해 도착 하루 전 오전까지 요청 가능하다.

KAKAOTALK ID GOODDAY321
전화 039-785-5692

TRANSPOR-TATION

택시

나트랑에서 택시 잡기는 어렵지 않다. 미터제 택시를 이용하면 흥정이 필요없고, 주소만 보여주면 돼 편리하게 이동 가능하다. 택시 회사 중에서는 비나선(Vina Sun)과 마이린(Mai Linh)이 믿을 만하다. 묵고 있는 호텔에 콜택시를 요청하는 것도 좋다. 원하는 택시 회사를 말하면 바로 불러준다.

OH! MY TIP

카카오 택시 (KAKAO T)

우리나라에서 쓰던 카카오 택시 앱을 나트랑에서 이용할 수 있다. 현지에서 앱을 켜면 자동 전환되고 차량 호출 아이콘을 누르고 장소를 입력하면 끝. 결제는 국내 전용 카드만 가능하며 유심 사용 예정 시 신용카드 연동을 미리 해두어야 한다.

그랩(Grab)

일반 택시보다 이용이 편리하고 저렴하다. 스마트폰에 어플을 다운받고 목적지를 기입한 후 기사를 호출한다. 목적지 기입 시 요금이 나오는데, 이를 현찰로 기사에게 직접 지급하면 된다.

그랩 바이크

그랩 어플을 통해 오토바이 택시인 그랩 바이크 이용도 가능
하다. 걷기엔 덥고 가까운 거리를 이동하려는 1인 여행자들이
이용하기 좋다. 기본요금은 1만 5천 동이며, 헬멧을 착용한 후
오토바이 좌석 뒤에 손잡이를 잡으면 된다. 현지인들이 이용
하는 오토바이 택시(쎄옴, XE OM)도 있지만 요금을 흥정해야
하고 의사소통도 어려울 수 있다.

오토바이 대여

1일 15만 동 정도면 호텔이나 여행사, 오토바이 대여점에서
오토바이를 대여할 수 있다. 대여 시 여권을 보증서로 요구할
수 있으니 참고하자. 반납 시 문제가 생기지 않도록 대여 전 오
토바이의 상태를 사진으로 찍어두는 것이 좋다. 단 사고가 나
면 대부분 외국인 책임이므로 유의하자. 반드시 헬멧을 착용
할 것. 안전운전 역시 필수다.

시내버스

장기 여행자라면 요금이 저렴한 시내버스를 이용해 주요 관광지를 둘러볼 수 있다. 단 영어 안내 방송이
나오지 않아 불편할 수 있다.

OH! MY TIP

그랩 이용 방법

① 스마트폰에서 'GRAB' 어플리케이션을 다운받는다.

② 간단한 인증 절차를 밟으면 회원 가입이 완료된다. 전화번호 인증을 해야 하므로 가능하면 한국에서 다운로드
하는 것이 좋다.

③ 택시는 'CAR', 오토바이는 'BIKE'를 터치한다

④ 현재 위치 확인 후 행선지를 입력한다. 이때 요금이 뜨는데 같은 거리라도 시간대나 도로 사정에 따라 요금이
달라진다.

⑤ 'Finding you a nearby driver(가까이에 있는 기사를 찾는 중입니다)'라는 문구가 뜨며 검색을 시작한다.

⑥ 기사가 배정되면 사진과 차량번호, 실시간 위치를 볼 수 있다.

⑦ 기사와 통화를 할 수도 있지만 대부분 소통이 원활하지 않으므로 자동으로 번역(베트남어-영어)되는 채팅 기능
을 이용하는 것이 편리하다. 현재 위치를 설명할 때 사진을 찍어 전송하는 것도 좋다.

⑧ 목적지에 도착하면 출발할 때 산정된 요금으로 현금을 지불한다.

VIETNAM MAP

베트남 전도

사파

하노이
하롱베이
호아빈 하이퐁
땀꼭

면적

베트남 331,210㎢
우리나라 100,363㎢

비행 시간(직항)

인천 - 나트랑: 직항 4시간 30분~5시간 10분
부산 - 나트랑: 직항 4시간 40분
인천 - 달랏: 직항 5시간

도시 간 이동 시간

나트랑 - 달랏: 135km | 차량 3시간
나트랑 - 무이네: 220km | 차량 4시간
달랏 - 무이네: 156km | 차량 3시간 30분, 버스 11시간, 항공 1시간 30분
다낭 - 나트랑: 530km | 차량 9시간 15분
호찌민 - 나트랑: 438km | 차량 8시간 15분, 버스 10시간

후에
다낭
호이안

나트랑

달랏

호찌민 무이네

NHA TRANG
AREA & MAP

나트랑 시내

나트랑 해변을 따라 고급 호텔과 리조트, 레스토랑이 늘어서 있다. 많은 관광 명소와 야시장, 식당이 몰려 있어 도보로 둘러보기에도 나쁘지 않다. 중급 호텔, 저가형 숙소 등도 많아 배낭여행객들이 주로 찾는다. 번잡스럽다는 것이 단점이긴 하지만 활기찬 나트랑 해변의 분위기가 여행의 흥을 돋운다.

빈펄아일랜드

나트랑을 대표하는 복합 리조트 단지다. 빈펄 비치, 테마파크와 워터파크, 아쿠아리움 등 섬 안에 모든 것이 갖추어져 있으며 가성비 좋은 고급 리조트와 숙소도 많다. 보트나 케이블카를 이용해 섬으로 들어가며, 리조트 내에서는 전용 전동차로 이동한다.

남부

깜라인 롱 비치를 따라 전용 해변을 즐길 수 있는 고급 숙소가 즐비하다. 각각의 전용 해변에서 편안하고 쾌적하게 물놀이를 즐길 수 있다. 훌륭한 가성비의 고급 숙소가 많아 가족 여행자나 단체 여행객들이 주로 묵는다. 나트랑 중심부에서 조금 멀어지는 대신 공항에서의 접근성이 좋은 편이다.

북부

닌반베이 쩐푸 다리 위쪽, 닌반베이를 아우르는 지역. 공항에서도 멀고 나트랑 중심부에서도 접근성이 떨어지지만 닌반베이의 멋진 경관을 즐기며 대자연의 아름다움을 만끽할 수 있다는 것이 큰 장점이다. 배를 타야만 접근할 수 있는 풀빌라들이 주로 자리하는데, 그 안에서 모든 식도락을 해결할 수 있어 더 선호하는 여행자도 많다.

나트랑 외곽

쪽렛 비치

원숭이섬
랄리아 닌반 베이

바호 폭포

식스센스 닌반 베이

알리부 리조트   아미아나 리조트
더 부사 파크   동호콴
                인디스 키친
아이리조트   아이리조트 스파   토우루 카페
탑바 온천   뚜레땅 티&커피   혼쫑 꽂
고마트   포나가르 사원
롯데마트   나트랑 시내

빈펄 리조트 & 스파 나트랑 베이
빈펄 리조트 나트랑
빈원더스   빈펄 디스커버리

나트랑 해양박물관
빈펄 럭셔리 나트랑

앙베이 폭포

나트랑 구글맵

다이아몬드 베이 콘도텔   멀퍼르 혼탐 리조트
다이아몬드 베이 리조트 & 스파

미아 리조트

디 아남
리베리아 리조트
셀렉텀 노아 리조트   멜리아 빈펄 비치 리조트
아나 만다라 리조트   알마 리조트

두옌하 리조트   퓨전 리조트 깜라인
래디슨 블루 리조트
모벤픽 리조트

스완도르 리조트   윈덤 가든
아레나 깜라인 리조트
바이다이 비치
깜라인 국제공항

ATTRACTION

RESTAURANT

CAFE & DESSERT

CLUB & BAR

SHOPPING

SPA & MASSAGE

HOTEL & RESORT

윈덤 그랜드 KW 파라다이스

투반 파고다

나트랑 시내

딩 티 。

↑담 시장　　↑롯코

。선라이즈 나트랑비치 호텔
。알렉상드르 예르생 박물관

엇 히엠 。

。하이랜드 커피　　하이랜드 커피

。하이랜드 커피　　골드코스트 롯데마트 。

。나트랑 센터

← 롱선사　　하이랜드 커피 。
빈컴 플라자 。

드래곤 망고 。
쉐라톤
。앨티튜드 루프톱바

。나트랑 대성당　　피스트 쉐라톤 나트랑　　。인터컨티넨탈 나트랑
촌촌킴 。
。코스타 씨푸드

←
더 가든 바이 아이스드커피 심플리 오리지널　　뚜레땅 티&커피 。
루남 카페 & 레스토랑 。

ABC 베이커리 。　　。콩 카페　　。더 코스타
。하바나 나트랑 호텔
。스카이라이트 나트랑

아리야나 스마트 콘도텔　　。퍼홍

콴코리엔 。　　조니 스테이크 。　　안 카페 。
올리비아 레스토랑　　。빈컴 플라자　　해피 비치 。
쏨모이 시장　　키싸 백　　엔냐 항차이
멜리아 빈펄 엠파이어 콘도
김치 식당 。　　。안 카페　　。청안 딤섬

안 키친　　안 어이 퍼 。　　쏨모이 가든 。　　알파카 홈스타일 카페　　안람 비스트로 。
로얄 샬롱　　하이랜드 커피 。　　。쥴리스　　풍우우옌 레전드 카페 。　　。공차　　데일리 비어
베나자 풋 스파　　CCCP 커피 。　　。찜흐엉 타워
제시 푸루트 。　　냐 쓰어 68 。　　라운지 마사지　　。르모어 호텔　　。할로 펍　　망고 스파 & 네일
올라 카페 。　　바 또이 。　　라냐 。　　그랜드 스파 。
안 카페 。　　미꽝남 127 。　　삼러 타이 。　　。꽌 민　　망고 커피 。　　。나트랑 야시장
리빈 콜렉티브 。　　반미 판 로로엔코 。
타임 하우스 비스트로 。　　레드 크랩 。　　。베이 델리 레스토랑
디저트 네스트 。
짜오마오 。　　딩티　　이비스 스타일 나트랑 。　　타카 마트 。
조니 스테이크 하우스　　미타미 。　　콩 카페 。　　갈리나 호텔 。　　호텔 노보텔 나트랑
2D하우스　　리게일리어 골드 호텔 。　　。그랜드 투란 나트랑 호텔
반미 응온 。　　버고 호텔 。　　。나트랑 비치
새마을 대포집 。　　코이 꽌　　무옹 탄 럭셔리 나트랑 호텔 。
시타딘 베이프론트 나트랑 。　　。응온 갤러리
리버티 센트럴 나트랑 호텔　　。하이랜드 커피　　갈랑갈
랑응온 。　　그랜드 투란 호텔 。　　일 미오

。반미 스페이스
리스 그릴 。　　라이 하이산 。　　믹스 그릭 레스토랑
심야
망고 커피 。　　。세일링 클럽
。데비스 잼　　하이랜드 커피 。
호아 수 。　　빈펄 콘도텔 비치프론트

。나트랑 야시장

루이지애나 。
코모도 나트랑 부티크 。　　。케이 하우스
하이브리드 바 。　　。더 라이트 호텔
크레이지 피시 。

비치클럽 나트랑 。

ATTRACTION

01 나트랑 비치 Nha Trang Beach

나트랑 여행의 중심

높게 솟은 야자수 아래 해변 공원에서 여유롭게 운동을 즐기는 현지인들과 눈인사를 나누고, 6km에 달하는 유려한 해안선을 따라 늘어선 럭셔리 호텔과 리조트에서 휴식과 액티비티를 즐겨보자. 12~2월을 제외하면 수온이 일정해 언제든 수영을 즐길 수 있다. 시내 중심과 가까워 유명 레스토랑, 바와 클럽 등 즐길 거리가 많고 다른 명소로 이동하기에도 좋다. 나트랑 비치에서 쩜흐엉 타워까지 산책을 즐겨보는 것도 추천한다.

02 쩜흐엉 타워 Thap Tram Huong

**야경을 완성하는
나트랑의 랜드마크**

베트남전쟁 승전 기념으로 세워진 연
꽃 모양의 타워로 핑크 타워, 향기 타
워라고도 불린다. 도시의 새로운 하
이라이트를 만들겠다는 목표로 2008
년 카인호아 인민위원회가 건설을 추
진했다. 베트남 국화인 연꽃을 형상화
한 외관은 다양한 조각 장식과 화려한
조명으로 멋진 야경을 선사한다. 나트
랑 비치 앞 해변 공원에 자리해 있으며
4층에 전시실이 있다. 도시 전경을 감
상할 수 있는 테라스에는 방문객들을
위한 망원경이 비치되어 있다.

03 나트랑 대성당 Nha Trang Mountain Church

고즈넉하고 이국적인 분위기

나트랑에서 가장 크고 아름다운 성당으로, 화려한 스테인드글라스 창문과 네오고딕 양식의 시계탑이 눈
길을 사로잡는다. 거대한 예배당으로 들어가면 빛이 가득한 가운데 고요한 바람이 불어와 절로 마음을
편안하게 해준다. 기차역이 내
려다보이는 언덕 꼭대기에 자
리해 전망 또한 무척 아름답다.
성당으로 올라가는 길 옆에 자
리한 4천 개의 묘비도 볼거리다.
나트랑 가톨릭 신자들에게 가
장 사랑받는 공간으로 웨딩 촬
영 장소나 결혼식장으로도 각광
받고 있다.

<u>FARE</u> 3만 동 내외(기부금 형태)
<u>OPEN</u> 8:00~11:00, 14:00~16:00

04 롱선사 Long Son Pagoda

나트랑을 대표하는 불교사원

19세기에 지어진 불교사원으로 나트랑의 대표 명소로 꼽힌다. 화려한 용 장식, 황금빛 불당 등 우리나라 사찰과는 사뭇 다른 매력을 느낄 수 있다. 정교한 대웅전과 정원을 거쳐 뒤쪽에 자리한 152개의 계단을 오르면 어마어마한 길이의 대리석 와불상과 후에의 사찰에서 기증한 15톤 규모의 종루가 등장한다. 특히 언덕 꼭대기에 장엄하게 자리한 24m 높이의 거대 좌불상(화이트 부다)은 롱선사의 대표 상징물이다. 불상 앞의 아름다운 파노라마 전경을 놓치지 말 것. 매달 음력 1일과 15일은 불교의식이 있는 날이라 방문이 불가능하다.

OPEN 7:30~17:00

05 포나가르 사원 Po Nagar Temple

독특한 분위기의 참탑

현존하는 가장 오래된 참파 유적으로 8~11세기 참파 왕국이 지어올린 사원이다. 전투와 화재로 유적 대부분이 소실되었으며 탑 3개만이 우뚝 솟아 존재감을 드러내고 있다. 붉은 흙벽돌로 켜켜이 쌓아올린 모습이 장엄하면서도 오묘한데, 벽돌 사이에 틈이 거의 없을 정도로 정교한 기술력을 자랑한 덕분에 오랜 세월에도 본래의 모습을 유지하고 있다. 탑 3개 가운데 중심 탑은 높이가 25m에 달할 정도로 웅장하다. 내부에는 11세기 중반에 만든 포나가르 여신상과 제단이 설치되어 있다. 함께 자리한 시바 신 상징물은 아들을 점지해준다는 이야기가 있어 많은 여성들이 기도를 올리러 방문하기도 한다.

FARE 2만 2천 동 OPEN 6:00~17:30

06 알렉상드르 예르생 박물관 Alexandre Yersin Museum

과학과 역사에 호기심이 있다면

베트남 국민들에게 가장 존경받는 외국인 중 한 사람인 예르생 박사는 우리에게도 친숙한 파스퇴르 박사의 제자다. 1891년 나트랑에 온 이후 50년간 베트남의 의학, 질병 퇴치, 자연과학 발전을 위해 헌신했다. 베트남 파스퇴르 연구소의 부속으로 운영되고 있는 박물관에는 그가 사용하던 침대, 책, 현미경, 실험 도구, 일상 용품이 전시되어 있다.

FARE 2만 동
OPEN 월~금 7:30~11:30 · 14:00~17:00(주말 휴무)

07 혼쫑 곶 Hon Chong

대자연을 느낄 수 있는 일몰 명소

드넓게 펼쳐진 바다를 배경으로 우뚝 솟은 거대한 바위는 그 자체만으로도 잊을 수 없는 볼거리다. 혼쫑 곶 북쪽, 꼬띠엔 산의 전경을 감상하며 웅장한 파도소리에 마음을 맡겨보자. 일몰 시간에 방문하면 길이 남을 인생 사진을 찍을 수 있다. 바위를 둘러보고 올라오면 혼쫑 곶 앞바다를 파노라마로 조망할 수 있는 카페도 있으니 한번 방문해보자.

FARE 3만 동 OPEN 8:00~18:00, 카페 6:00~22:00

08 탑바 온천 Thap Ba Mud Bath

베트남 최초의 머드 스파

포나가르 사원 가까이에 위치한 탑바 온천은 오래전부터 지역 명소로 현지인들의 사랑을 받고 있는 온천 테마파크. 25개의 일반 온천과 12개의 머드 온천이 갖춰져 있으며 커플을 위한 하트 모양 수영장, 성인 및 어린이용 수영장, 노인 전용 수영장 등 다채로운 시설을 마련해 두었다. 가성비 면에서도 훌륭하다.

FARE 공용 머드 스파 성인/아동 20만/10만 동, 4인 이내 프라이빗 머드 스파 35만 동(1인당) OPEN 7:30~17:00 SITE tambunthapba.푸

09 아이리조트 I-Resort

즐거움 가득한 머드 온천

머드 온천과 고급 리조트, 레스토랑 등을 갖춘 복합단지로 나트랑 시내에서 4km 정도 떨어져 있다. 최신 시설과 깨끗한 관리로 우리나라 여행객 사이에서 선호도가 가장 높은데, 가격대가 높은 편이라 현지인보다는 외국인 관광객이 더 많다. 워터 슬라이드 등 어린이용 놀이시설도 있어 가족 여행객들에게 인기 만점이다. 함께 입장하는 인원에 맞게 욕조 사이즈를 지정할 수 있으며, 워터파크 이용 시 추가 요금이 있다.

FARE 특수 미네랄 머드 1~2인용 욕조 35만 동,
3~5인용 욕조 30만 동, 6인 이상 26만 동
OPEN 8:00~17:30 SITE www.i-resort.vn

⑩ 바호 폭포 Ba Ho Waterfall Cliff Jumping

트레킹부터 물놀이까지

'점핑 폭포'라고 불릴 정도로 다이빙하기 좋은 물놀이 명소다. 나트랑 시내에서 북쪽으로 약 20km 거리로 30~40분이면 도착할 수 있다. 입구에서 입장료를 내면 공원 형태로 된 리조트 안으로 입장하게 되는데 폭포까지 평탄한 트레킹 코스로 이어져 있다. 총 3개의 폭포가 있으며, 보통 첫 번째 폭포에서 수영을 즐기고 내려오는 코스를 선택한다. 체력에 자신 있고 모험심이 강한 스타일이라면 그 이상 도전해도 좋다. 우기에는 수량이 늘어나기 때문에 4월 이전에 방문하는 것이 좋다.

FARE 10만 동 OPEN 8:00~16:30

---

⑪ 나트랑 해양박물관
National Oceanographic Museum of Vietnam

깊고 깊은 바다의 세계로

나트랑이 세계적인 관광지로 떠오른 배경에는 잘 관리된 해양자원과 자연보호 문화가 있다. 나트랑 해양박물관은 그 결과물 중 하나다. 다양한 종의 물고기는 물론, 길이가 18m에 달하는 혹등고래 박제본, 2만여 종에 육박하는 해양생물 표본실까지 그야말로 해양자원의 보고라 할 만하다. 평소 바다와 해양 생물에 관심이 많다면 꼭 방문해보자.

FARE 성인/아동 4만/2만 동 OPEN 6:00~18:00 SITE baotanghdh.vn

빈원더스 나트랑 Vinwonders Nha Trang

놀이공원과 워터파크를 한번에

빈 그룹에서 운영하는 복합 휴양지이다. 개발 당시 섬 하나를 통째로 사들여 리조트 단지로 조성하면서 빈펄아일랜드라는 별칭으로도 불리게 되었다. 세계에서 가장 긴 해상 케이블카(3,320m), 웬만한 놀이기구는 다 갖춰진 놀이동산, 대형 아쿠아리움과 매일 열리는 공연까지 온갖 엔터테인먼트가 눈앞에 시종일관 펼쳐진다. 지난 1월 26일 유럽의 작은 도시를 옮겨 놓은 듯한 외관의 빈펄 하버가 오픈했다. 약 400여 개의 패션 브랜드숍과 레스토랑, 다양한 시설들이 모여 있다. 553m에 달하는 해안을 따라 밤낮으로 작은 공연들이 펼쳐진다.

FARE 성인/아동(신장 140cm 이하) 88만/70만 동(양방향 케이블카 이용료 포함, 신장 1m 미만 아동 무료), 16:00 이후 성인/아동 56만/42만 동 OPEN 8:30~21:00 SITE vinwonders.com

빈원더스 제대로 즐기기

빈원더스 나트랑으로 가는 방법

빈원더스 나트랑은 혼째 섬(Hon Tre island)에 위치하며 나트랑 시내 중심에서 5km 떨어져 있다. 혼째 섬으로 들어가는 방법은 총 세 가지로 케이블카, 카누와 고속정을 이용하면 된다.

빈원더스 나트랑 즐길 거리

씨 월드(Sea World): 50,000m² 규모에 30,000종 이상의 바다 생물이 서식하는 신비한 해양 생태계를 경험할 수 있다.
페어리 랜드(Fairy Land): 2km에 달하는 알파인 코스터를 타고 혼트레 섬의 풍경을 즐겨보자. 베트남에서 가장 길고 높은 짚라인도 있다.
어드벤처 랜드(Adventure Land): 세계 최고 수준의 놀이기구를 즐길 수 있다. 짜릿함을 원한다면

마인 어드벤처와 탑스핀에 도전해보자.
꽃의 동산(World garden): 5개 대륙의 다양한 식물을 만날 수 있다. 120m의 높이로 베트남에서 가장 큰 관람차이자 세계 10대 관람차인 스카이휠을 타고 압도적인 풍경을 경험할 수 있다.

빈원더스만의 특별한 공연

타타 쇼(Tata show): 베트남 최초의 블록버스터 멀티미디어 쇼
버드 쇼(Bird show): 조련사의 능숙한 지도 아래 독특한 춤을 추는 10종의 희귀 조류를 만나볼 수 있다
인어 쇼(Mermaid Show): 베트남 빈원더스 나트랑 언더워터월드 인어 쇼
수상 뮤지컬 공연: 경쾌한 음악과 색다른 감동을 선사하는 워터 뮤직 쇼

DAY TRIP

01 바이다이 비치 Bai Dai Beach

나트랑에서 가장 길고 한적한 해변

무려 10km가 넘는 길이를 자랑하는 길
다란 해변으로 롱 비치라고도 불린다.
나트랑 비치에 비해 시내에서 조금 떨어
져 있지만 깨끗하고 아름다워 해수욕을
즐기는 관광객들이 많다. 공항에서 가깝
고 고급 리조트가 많이 들어서 있어서
숙소를 구하기 좋고, 다양한 해양 스포
츠도 즐길 수 있어 만족스럽다.

02 얌베이 폭포 Yang Bay Tourism Park

당일 투어로 다녀오는 근교 명소

장대한 폭포와 울창한 원시림, 야생동물과 전통음악 공연까지 즐길 수 있는 곳으로, 나트랑 시내에서 차량으로 1시간여 거리에 자리한다. 가족 여행객 사이에서 생태 여행 코스로 주목받으며 필수 방문 명소로 자

리잡았다. 폭포와 공연장, 온천과 동물원, 연못 위 레스토랑이 대형 테마파크처럼 연결되어 있어 공원 버기카를 타고 둘러볼 수 있다. 일일 투어를 이용하면 수영장과 머드 스파까지 좀 더 편리하고 저렴하게 체험할 수 있다.

FARE 성인/아동 24만/16만 동
OPEN 8:00~17:00
SITE yangbay.khatoco.com

03 투반 파고다 Tu Van Pagoda

아름다운 산호석 불탑과 지옥 동굴

조개와 산호석으로 지어진 40m 높이의 불탑으로 압도적인 규모와 아름다움을 자랑한다. 탑 바로 옆, 용의 형상을 한 지하 동굴이 하이라이트. 이 또한 승려들이 산호석으로 하나하나 쌓아 만든 것인데, 안쪽에 지옥 18도를 그려놓아 지옥 동굴이라고도 불린다. 독특한 체험을 해보고 싶다면 안내판도 조명도 없는 1km 길이의 동굴 탐험에 도전해보자. 단 부상의 위험에 유의하고 밀실공포증이 있는 사람은 출입을 삼가자.

RESTAURANT

01 콴코리엔 Quan Co Lien

누구나 인정하는 분짜 맛집

쌀국수와 숯불에 구운 돼지고기, 신선한 채소를 라이스페이퍼에 싼 후 피시소스에 찍어 입에 넣으면 이곳이 천국인가 싶다. 저렴한 가격과 푸짐한 양, 익숙하면서도 색다른 음식의 맛이 만족감을 준다. 껌가, 미싸오 보 등 메뉴가 다양하다.

MENU 분짜 5만 동, 스프링롤 4만 동 **OPEN** 9:00-21:30

02 촌촌킴 Cơm Nhà Chuồn Chuồn Kim

한식과 베트남 요리의 만남

한국인이 운영하는 베트남 음식점으로 해산물, 돼지수육, 커리, 두부 요리 등 다양한 메뉴를 선보인다. 전반적으로 한국인 입맛에 무난하게 맞는 편이며 밥도 베트남 쌀이 아닌 찰기가 있는 한국 쌀로 지은 것이라 더 좋다. 특히 직원들의 서비스가 훌륭하다는 평가가 많다.

MENU 튀긴 돼지고기 립 10만 동, 모닝글로리 볶음 3만 동, 베트남식 소고기 볶음 11만 5천 동 **OPEN** 10:30~21:00 **SITE** comnhachuonchuonkim.com

엇 히엠 Ot Hiem Vietnamese Kitchen

분위기, 음식, 향기까지 베트남

베트남 가정식을 비롯해 정통 베트남 음식을
맛볼 수 있는 나트랑의 맛집이다. 공간이 넓으
며 아이들이 먹기 좋은 볶음밥, 삼겹살 조림, 갈
비 조림 등의 메뉴를 갖추고 있어 가족 여행자
가 찾기 좋다. 고급스러운 분위기지만 가격도
저렴해 다양한 음식을 푸짐하게 즐길 수 있다.

MENU 분짜 8만 동, 모닝글로리 볶음
8만 동 **OPEN** 8:00~22:00

냐 쓰어 68 Nhà Xưa 68 - Nha Trang

베트남 옛집에서 맛보는 전골

'옛날집'이라는 뜻의 이름처럼, 과거로 시간여행을 떠나온 듯 고풍스러운 분위기가 인상적인 베트남 가정
식 식당이다. 대표 메뉴인 '러우(Lau)'를 비롯해 우리에게 다소 낯선 가정식 메뉴를 선보인다. 러우는 숯불
화로에 직접 끓이면서 먹는 전골 요
리로 베트남 북부지방의 전통음식
이다. 익숙한 메뉴에서 벗어나 독특
한 베트남 음식을 맛보고 싶다
면 도전해보자.

MENU 해산물 전골(러우)
19만 8천 동
OPEN 10:00~21:30
SITE www.facebook.
com/NhaXua68

05 꽌 민 Quán Mịn

나트랑을 대표하는 쌀국수

나트랑에 왔다면 분까 또는 분짜
까라고 불리는 어묵 쌀국수를 반
드시 먹어봐야 한다. 다른 식당에
서도 쉽게 맛볼 수 있긴 하지만 특
제 생선 육수로 만든 이곳의 분짜
는 그야말로 특별함 그 자체이다.
메뉴에 한국어 표기가 있어 편리
하지만 입소문이 나 있는 탓에 어
느 정도 대기는 감수해야 한다.

MENU 분까 4만 동, 미꽝 4만 동
OPEN 5:30~21:00

06 옌냐항차이 Yên Nhà Hàng Chay & Yoga Nha Trang

싱그러운 채식 한 끼

맛있고 건강한 채식 요리를 선보이는 곳이다. 실내에 들어서면 절로 힐링될 듯한 자연 친화적인 인테리

어가 눈에 띄는데, 통일감 있는 라탄 가
구와 소품들, 초록빛 화분과 나무, 눈부
신 햇살이 완벽한 조화를 이룬다. 채식
에 대한 편견을 버리고 새로운 맛에 집
중해보자. 1, 2층은 식당이고 3층은 요
가 교육장이다. 몸도 마음도 건강한 생
활을 꿈꾸는 여행자들에게 추천한다.

MENU 볶음밥 4만 5천 동, 시위드 라이스
5만 동 OPEN 9:00~14:00, 16:30~21:00
SITE facebook.com/nhahangchayyo
ganhatrang

07 레드 크랩 Red Crab

동남아 유명 크랩 맛집

필리핀 세부, 보라카이, 보홀, 다낭에
서 즐기던 레드 크랩을 나트랑에서
도 만날 수 있다. 살아 있는 크랩을 직
접 선택할 수 있으며, 먹기 좋게 손질
도 해주기 때문에 더욱 편리하다. 나
트랑 야시장과 콩카페 근처에 위치
해 위치도 좋다. 여행 프로그램에도
여러 번 소개된 검증된 곳이다.

MENU 칠리크랩 싱가포르 소스 140만 동,
블랙페퍼 소스 145만 동
OPEN 11:30~22:30

08 안람 비스트로 An Lam Bistro

나트랑에서 만나는 파인 다이닝

클래식한 분위기의 아늑한 실내에서 품질 좋은 스테이크를 맛볼 수 있는 곳이다. 샐러드, 파스타도 괜찮
은 편이며, 술 한잔 곁들이고 싶다면 하우스 와인이 포함된 콤보 메뉴도 좋은 선택지이다. 가격대가 저렴
한 편이라 더욱 좋다.

MENU 스테이크 15만 5천 동~, 해산물
볶음밥 11만 동 OPEN 7:00~21:00
SITE facebook.com/anlambistro

09 올리비아 레스토랑 Olivia Restaurant

피자와 쌀국수를 한번에

피자, 파스타 등 서양 음식과 베트남 음식을 동시에 즐길 수 있어 메뉴 선택의 폭이 넓다. 가격대는 조금 높은 편이지만 여행객의 입장에서는 세련된 분위기에서 친절한 서비스를 받을 수 있어 만족스럽다. 신선한 재료를 이용한 브루스케타도 놓치지 말자.

MENU 피자 마리나라(S) 14만 9천 동, 브루스케타 4만 5천 동 OPEN 7:00~22:00

10 베이 델리 레스토랑 Bay Deli Restaurant

깨끗하고 분위기 좋은 도심 레스토랑

가격대는 좀 높은 편이지만 그만큼 음식 퀄리티도 좋고 직원들의 서비스 또한 수준급이다. 베트남 커피 등 시원한 음료를 즐기기에도 좋다. 오전 시간(07:00~11:00)에는 저렴한 가격에 식사류와 음료를 조합한 콤보 메뉴를 맛볼 수 있다. 날이 좋을 때는 야외 테라스에서의 식사를 추천한다.

MENU 아보카도 스무디 5만 5천 동, 밀크티 5만 5천 동, 조식 콤보 9만 9천 동
OPEN 7:00~23:00

⑪ 타임 하우스 비스트로 Time House Bistro

품격 있는 브런치

마치 영화 속 배경 같은 이국적 분위기가
매력적인 카페 겸 레스토랑이다. 에그 베네
딕트, 수제 버거, 크레이프 등 가벼운 브런
치 메뉴가 특히 인기다. 내부도 아늑하지만
날씨가 좋을 때는 야외석이 더 운치 있다.
여행지의 설렘을 만끽하며 브런치를 즐기
고 싶을 때 방문해보자.

MENU 에그 머핀 15만 동, 수제 버거 20만 동,
잉글리시 브렉퍼스트 19만 동
OPEN 6:30~22:00
SITE www.instagram.com/
timehousenhatrang

⑫ 인디스 키친 Indy's kitchen restaurant

반전 매력의 한식당

겉보기엔 아기자기한 브런치 카페 같지만 돼지국밥과 수육이 대표 메뉴인 한식 맛집이다. 모양새만 그럴
듯하게 흉내 낸 것이 아니라 된장찌개, 막국수, 돈가스 등 제대로 맛을 낸, 다양한 메뉴를 선보인다. 파스타
등 양식 메뉴도 마련되어 있어 선택의 폭이 넓다.

MENU 돼지국밥 20만 동, 보쌈 50만 동,
돈가스 18만 동 **OPEN** 9:00~14:30,
17:00~24:00

⑬ 동호콴 Đông Hồ Quan

나트랑에서 손꼽히는 해산물 맛집

베트남 스타일의 해산물 식당으로 현지인들의 사랑과 추천을 동시에 받는 곳이다. 로브스터, 굴, 오징어, 새우 등 다양한 해산물을 특색 있게 요리해 내오는데, 우리 입맛에도 잘 맞는 편이다. 세트 메뉴가 있어 가성비도 좋은 편이고, 무엇보다 친절한 직원들의 서비스에 감동받았다는 평가가 많다. 아미아나 리조트에서 가깝고 식당 규모도 큰 편이라 단체 여행객이나 가족 단위 손님이 많다.

MENU 파인애플 볶음밥 14만 8천 동,
갑오징어 튀김 14만 5천 동
OPEN 11:00~22:00
SITE donghorestaurant.com(배달 전용)

⑭ 안 키친 An Kitchen

베트남에서 즐기는 무제한 삼겹살

베트남까지 와서 굳이 삼겹살을 먹어야 할까 싶지만, 여행 중에 즐기는 삼겹살의 맛은 가히 예술적이다. 한국인이 운영하는 한식당으로, 입맛을 당기는 한식 메뉴로 우리나라 여행객들의 사랑을 받고 있다. 각종 찌개부터 갈치조림, 해물파전까지 다양한 한식을 맛볼 수 있으며, 그중 대표 메뉴는 무제한 삼겹살이다.

MENU 김치찌개 16만 동, 무제한 삼겹살 24만 동
OPEN 11:00-22:00

⑮ 코이 콴 Cui Quan

일품 스테이크, 일품 해산물

시내 중심에 위치한, 젊고 캐주얼한 분위기의 파인 다이닝 레스토랑. 육질 좋은 와규 스테이크를 비롯, 로브스터와 새우 등 해산물 요리도 일품이다. 현지인보다는 관광객을 대상으로 하는 곳이라 가격대가 상당히 높은 편이며 부가세 10%가 추가된다.

MENU 사시미 세트 49만 5천 동, 로브스터 85만 5천, 립아이 스테이크(100g) 9만 9천 동
OPEN 9:00~다음날 3:00 **SITE** cui.com.vn

⑯ 청안 딤섬 Cheng An Dimsum

홍콩의 딤섬 맛 그대로

저렴한 가격에 다양한 딤섬을 맛볼 수 있어 여행자들에게 인기가 좋다. 가게 인테리어도 깔끔하고 직원 친절도도 만족스러운 편이다. 딤섬은 전반적으로 우리 입맛에 잘 맞는 편이나 국수류는 느끼하다는 평이 많다.

MENU 딤섬 개별 메뉴 5만 2천 동, 콤보 딤섬 10만 5천 동
OPEN 6:30~22:00

17 삼러 타이 Sam Lor Thai Restaurant Nha Trang

이색적인 태국 요리 전문점

베트남 음식과 닮은 듯 다른 태국 음식을 맛볼 수 있는 전문 음식점이다. 태국식 커리와 솜땀, 팟타이 등이 인기 메뉴이다. 분위기가 세련되고 고급스러운 만큼이나 가격대도 다소 높은 편이다. 시원한 실내에서 쾌적한 식사를 하고 싶은 여행객들에게 추천할 만하다.

MENU 그린 커리 볶음밥 13만 동, 옥수수 솜땀 5만 5천 동
OPEN 11:00~14:00, 17:00~21:00
SITE facebook.com/nhahangthaituk-tuknhatrang

18 미타미 MITAMI Japanese Restaurant

??

베트남 음식도 한식도 지겨워질 때쯤 싱싱한 회나 초밥으로 입맛을 돋워보는 건 어떨까. 나트랑을 대표하는 일식당 중 하나로 한국인 여행객들에게 특히 인기가 좋다. 친절한 한국인 사장님 덕분에 소통이 원활하다는 점도 장점. 가격도 합리적인 편이다.

MENU 모듬회 세트 25만 동~, 스시 세트 20만 동~, 미타미 스시롤 17만 5천 동
OPEN 11:00~14:00, 17:00~22:00
SITE www.facebook.com/mitaminhatrang

19 일 미오 IL MIO - Món Ý Tươi Chuẩn Vị

아늑한 이탈리안 레스토랑

합리적인 가격에 다양한 종류의 파스타와 피자를 즐길 수 있는 캐주얼한 음식점이다. 맛이 전반적으로 느끼하지 않고 담백하고 깔끔하다. 청량하고 아늑한 분위기라 친구나 연인 여행객들이 방문하기에 좋다. 오전 10시부터 오후 1시까지는 해피아워로 저렴한 가격에 콤보 메뉴를 이용할 수 있다.

MENU 봉골레 파스타 13만 9천 동,
페퍼로니 피자(30cm) 12만 5천 동
OPEN 10:00~14:00, 16:00~21:00
SITE www.facebook.com/ilmio.italy

20 장터 국밥 Chang Tho

더운 날에도 국밥 한 그릇

더위로는 둘째 가라면 서러울 나트랑이지만, 여행을 하다 보면 뜨끈하고 얼큰한 국밥 한 그릇이 당길 때가 있다. 우리나라 국밥집 혹은 백반집 분위기가 물씬 나는 한식당으로, 소고기 국밥과 사골곰탕이 추천 메뉴이다. 시원한 냉면 한 그릇도 인기가 좋다. 외국에서 만나는 쫀득한 쌀밥과 한국인 사장님의 정이 더없이 반갑다.

MENU 소고기 국밥 15만 동, 냉면 14만 동,
제육볶음 25만 동 **OPEN** 화~일 10:00~22:00
SITE chang-tho-korean-restaurant.business.site

CAFE

① 하이랜드 커피 Highlands Coffee

베트남을 대표하는 프랜차이즈 카페

베트남의 커피 문화를 현대적이고 대중적으로 해석해 국민적인 사랑을 받고 있는 커피 체인점으로, 현지 젊은 층에게 큰 사랑을 받고 있다. 기본 메뉴인 핀(Phin) 커피를 비롯해 아이스 스무디의 일종인 프리즈 (Freeze) 메뉴도 인기다. 음료뿐 아니라 반미를 비롯한 간단한 식사도 맛볼 수 있는 등 메뉴가 꽤 다양해, 현지에서는 식사와 커피를 한번에 해결할 수 있는 활용도 높은 공간으로 인식되고 있다. 대형 쇼핑몰, 유동 인구가 많은 대로변이나 사거리에 큰 규모로 자리하고 있으며 나트랑에도 여러 개의 지점이 운영 중이다.

MENU 쓰어다(16oz) 3만 9천 동, 그린티 프리즈(16oz) 6만 5천 동, 반미 1만 9천 동
OPEN 7:00~22:00
SITE www.highlandscoffee.com.vn

뚜레땅 티 & 커피 Tous Les Temps Tea & Coffee

가성비 좋은 밀크티 명소

편안한 인테리어와 쾌적한 실내, 저렴하고 맛 좋은 음료와 서비스까지 최근 들어 관광객들에게 인기를 얻고 있는 카페 브랜드다. 나트랑 시내 곳곳에 지점이 자리한 덕분에 쇼핑하다 잠시 더위를 식히러 들르기 좋다. 밀크티 등 음료는 물론 디저트도 다양하게 마련돼 있다.

MENU 박씨우(S) 3만 동,
스페셜 밀크티(S) 3만 9천 동
OPEN 7:00~22:30
SITE facebook.com/touslestempsnt

 딩 티 DING TEA

글로벌 밀크티 브랜드

대만에서 시작한 글로벌 티 브랜드로 아시아를 비롯한 세계 각지에서 만날 수 있는 밀크티 전문점이다. 모든 재료와 장비가 대만에서 공수되며 정기적으로 품질을 모니터링해 대만 유명 밀크티 그대로의 맛과 품질을 즐길 수 있다. 밀크티, 프루트 티, 아이스크림 무스 티 등 수십 가지 메뉴를 선보인다. 가격대도 저렴한 편이다.

MENU 시그니처 밀크티 3만 5천 동, 망고 요거트 3만 9천 동, 자몽 블랙 티 3만 7천 동
OPEN 9:00~22:00 **SITE** dingtea.vn

04 공차 GONG CHA

익숙한 맛을 보다 저렴하게

우리나라에서도 익숙한 티 브랜드로, 2014년 호찌민을 시작으로 베트남 시장에 진출한 이래 곳곳에 우후죽순 생겨나고 있다. 19개국 1,500여 개 매장을 보유하고 있는 세계 최대 규모의 밀크티 프랜차이즈인 만큼, 익숙한 메뉴를 우리나라에서보다 훨씬 저렴하게 즐길 수 있다.

MENU 우롱 밀크티(M) 5만 7천 동,
블랙 펄 밀크티(M) 4만 7천 동, 밀크 폼
홍차(M) 4만 7천 동
OPEN 8:30~21:30
SITE gongcha.com.vn

05 ABC 베이커리 ABC Bakery

베트남 빵이 이렇게 싸고 맛있다니

호찌민에 본사를 둔 베이커리 체인점으로 베트남 전국에 30여 개의 지점과 캄보디아 프놈펜에 5개의 지점을 운영 중이다. 베트남의 제빵왕이라 불리는 카오 시에우 럭(Kao Sieu Luc)이 문을 연 이래 실험적인 시도, 신선하고 다양한 케이크와 빵으로 현지인뿐 아니라 여행객들에게도 큰 사랑을 받고 있다. 나트랑에 제법 큰 규모의 지점이 있는데 1층

은 베이커리, 2층은 카페로 운영되고 있어 달콤한 빵을 먹으며 더위를 식히기에 안성맞춤이다.

MENU 반미 1만 9천~2만 8천 동 OPEN 6:00~22:00

06 더 가든 바이 아이스드 커피 심플리 오리지널
The Garden by Iced Coffee Simply Original

화려한 정원에서 즐기는 커피

아이스드 커피에서 운영하는 가든 카페로, 들어서자마자 식물과 공간이 만들어낸 압도적인 분위기가 탄성을 자아낸다. 거대한 반얀트리, 생기 넘치는 화분과 꽃들, 통창이 설치된 실내 공간과 고풍스러운 카페가 어우러져 있다. 음식 메뉴가 다양해서 격식 있는 자리를 갖기에도 좋다. 커피 클래스용 공간도 따로 마련되어 있고, 커피 용품 숍도 잘 갖추어져 있다.

MENU 베트남 커피 3만 9천 동, 블루베리 바나나 스무디 5만 5천 동
OPEN 6:30~22:30

07 드래곤 망고 Dragon Mango

더위를 식혀주는 망고 디저트

망고를 좋아한다면 한번쯤 들러볼 만한 망고 전문 디저트숍이다. 망고 향의 소프트 아이스크림 위에 생망고를 얹어주는데, 열대과일 특유의 달달한 풍미가 그만이다. 단맛이 다소 부담스럽다면 코코넛 아이스크림을 골라보자. 롯데마트 골드코스트점 3층에 위치해 있어 방문하기 편하다.

MENU 망고 소프트아이스크림(S) 3만 6천 동, 패션프루트 소다 3만 9천 동
OPEN 8:00~22:00

CLUB & PUB

01 로콧 LÔ CỐT QUÁN

다양한 맛을 선보이는 요리 주점

맛있는 음식과 술을 즐길 수 있는 분위기 좋은 식당. 베트남 음식부터 유럽 음식까지 메뉴가 다양하긴 하나 러시아 음식에 특화되어 있어 러시아 관광객이 특히 많이 찾는다. 오후에만 주문할 수 있는 콤보 메뉴(9만 9천 동)가 인기가 많다. 이색적인 요리와 맥주 한 병을 곁들이며 편하게 대화를 나누기에 좋다.

MENU 맥주 2만 동 내외, 안주류 10만~20만 동
OPEN 14:00~24:00

02 데일리 비어 Dailybeer Nha Trang

활기찬 분위기의 여행자 펍

더운 나라에서의 분주한 일정을 마치고 시원한 맥주 한 잔으로 하루를 마무리하고 싶을 때 찾기에 좋은 곳이다. 나트랑의 밤 분위기를 물씬 느낄 수 있는 개방감 있는 인테리어와 왁자지껄한 분위기 속에서 즐거운 시간을 가져보자.

MENU 소고기 꼬치구이 14만 9천 동, 해산물 볶음밥 8만 9천 동, 맥주 2만 2천 동~
OPEN 16:00~24:00

03   할로 펍 HALLO PUB

이국적 분위기의 펍

AB센트럴 광장에 위치한 펍이다. 야외에
있어 나트랑의 밤을 즐기기 제격이다. 맥주
외에 칵테일 종류도 다양하고 안주도 저렴
해 일행과 함께 가볍게 한잔하기 좋다. 분
위기 있는 조명과 트렌디한 음악으로 나트
랑의 핫 플레이스로 자리잡았다.

MENU 맥주 4만 동 내외, 안주 5~12만 동
OPEN 16:00-24:00

04   심야 Simya - Korean Gastrobar

K-POP이 흘러나오는 클럽

친구, 연인과 함께한 나트랑 여행이라면 나트랑의 밤을
조금 더 즐겨보자. 심야 클럽은 디제이가 선곡한 K-POP
을 들을 수 있는 곳으로 우리나라의 클럽 분위기이지만
현지인이 운영하는 곳이다. 다양한 이베트 덕분에 현지
인은 물론 MZ 여행자들에게 인기가 많다. 주말에 방문
을 원한다면 미리 예약하는 것이 좋다.

MENU 소주타
워 믹스 68만 동
OPEN 18:00-
다음날 1:00
KAKAO ID
simyant

SHOPPING

01 제시 프루트 Jesi Fruit

나트랑에서 1일 1망고를

나트랑 시내 중심에 위치한 과일 전문점으로 신선한 과일을 흥정 없이 구입할 수 있다. 망고, 망고스틴, 석류, 사과, 그린 망고, 용과, 두리안, 오렌지, 수박 등 갖가지 과일이 마련돼 있다. 원하는 과일을 선택하면 먹기 좋게 손질해서 포장해 주기 때문에 숙소로 들어가기 전에 구입해도 좋다. 아이스크림과 주스도 판매해 가족 여행자들이 방문하기 좋다. 나트랑 시내 무료 배달도 가능하다.

OPEN 10:00~22:00 KAKAO ID jesifruit

02 데비스 잼 Devi's Jam

여행 선물 1위 아이템

일명 '악마의 잼'이라고 불릴 정도로 한번 먹으면 멈출 수 없다는 잼. 보라카이, 세부에서 수백만 병 팔린 잼을 나트랑에서도 만날 수 있다. 합성첨가물 0%, 직접 재배한 코코넛과 사탕수수 추출물로 천연의 건강한 단맛을 자랑하는 있는 핸드메이드 잼이다. 예능 프로그램에도 소개될 정도로 인기 쇼핑템이다.

OPEN 10:00~21:00

03 키싸 백 Kissa Bag

베트남 전통 기념품점

나트랑에 몇 안되는 베트남 전통 기념품점
이다. 인기 아이템인 라탄백부터 지역의 예
술작가와 소수 민족이 만든 수제 소품을 판
매해 특별하다. 베나자 트래블 라운지 시내
점과 가까운 곳에 위치하며 베나자 회원은
할인 혜택도 받을 수 있다.

OPEN 10:00~20:00, 월요일 9:00~20:00
SITE kissasouvenirsnhatrang.com/
kissa-bag

02 줄리스 Juli's

나트랑에서 만나는 수제 캔들

나트랑 인기의 수제 캔들 숍으로 백화점
에도 입점해 있다. 코코넛 캔들부터 천연
소이왁스 수제 캔들, 대나무컵에 담긴 캔
들도 인기다. 캔들 외에 비누와 오일 상품
도 있으며 세트로도 판매해 선물용으로
구입하기 좋다. 배스 솔트도 있는데 나트
랑 판랑의 염전에서 채취한 소금으로 만
든 것이라 더욱 특별하다. 한국어로도 안
내되어 있어 취
향에 맞게 구입
하기 좋다.

OPEN 10:00~21:00 SNS www.instagram.com/lui.n.juli

달랏 여행하기

ARRIVE AT
DA LAT

달랏 리엔크엉 국제공항 Lien Khuong Airport(DLI)

달랏 시내에서 남쪽으로 30km 떨어진 곳에 위치해 있다. 1960년대 이후 공군 비행장으로 사용되어오다 2009년 12월 민간 공항으로 다시 태어났다. 활주로 길이는 3,250m, 연간 이용 승객은 200만 명에 달한다. 달랏이 베트남 내에서도 손꼽히는 관광 명소인 만큼 호찌민 등 다른 도시를 연결하는 비행편도 많은 편이며 인천 직항편도 취항한다.

SITE www.vietnamairport.vn/lienkhuongairport

공항에서 달랏 시내로

리엔크엉 공항에서 달랏 시내까지는 차량으로 약 50분 소요된다. 택시, 버스 또는 호텔 픽업 서비스를 이용할 수 있다. 베나자의 달랏 공항 픽업 서비스를 이용하면 편안하게 공항부터 시내, 시내부터 공항까지 이동할 수 있다. 공항 픽업 시에는 달랏 공항 국제선 출구, 귀국 샌딩 시에는 호텔 로비에 기사가 이름표를 들고 기다리고 있다. 4인승, 7인승, 16인승이 있으며 신청 시 탑승 인원과 캐리어 보관 개수를 알려야 한다.

택시: 40분 소요. 요금 40만 동 내외
버스: 50분 소요. 요금 6만 동 내외
베나자 픽업: 4인승 1만원+$10, 7인승 1만원+$20, 16인승 1만원+$30

달랏에서 렌터카 이용하기

달랏 시내에서도 렌터카를 이용할 수 있다. 베나자 렌터카 이용 시 기사가 포함되어 있으며, 일체의 추가 비용이 없어 편리하다. 4인승, 7인승, 16인승이 있으며 4시간, 8시간 단위로 렌트할 수 있다. 공항 추가 옵션도 가능하다.

베나자 렌터카(4시간): 4인승 1만원+$30, 7인승 1만원+$40, 16인승 1만원+$50

나트랑에서 달랏 이동하기

나트랑에서 달랏까지 거리는 135km에 달한다. 나트랑에서 달랏까지는 항공편이나 기차편이 없어 택시나 버스, 렌트카로 이동해야 한다. 밤 늦게 나트랑에 도착해 달랏으로 바로 이동해야 한다면 베나자 렌터카를 이용하는 것이 좋다. 단독 차량으로 편안하며 기사가 포함되어 있어 안전하다.

슬리핑 버스: 4시간 소요, 16만5천 동 **SITE** futabus.vn
리무진: 3시간 30분 소요, 23만 동 **SITE** vexere.com
베나자 단독 차량: 4인승 1만원+$55, 7인승 1만원+$64, 16인승 1만원+$82

DA LAT MAP

○ 랑비앙 산

달랏 지도

○ 골든 밸리

달랏 시내

까오다이교 사원 ○·········

린프억 사원 ○

○ 호아손 국립공원

○ 메린 커피농원

원더 리조트 ○

죽림선원 ○

○ 다딴라 폭포

빈 안 빌리지 리조트 ○

○ 에덴시 레이크 리조트

클레이 터널 ○

○ 프렌 폭포

달랏 외곽

○ 라 비엣 커피

○ 반미 난가이

○ 달랏 꽃 정원

○ 달랏 대성당

○ 퍼 히우

○ 아티스트 앨리 레스토랑   ○ 골프 밸리 호텔

→
멀펄르 호텔
라 사피네트 호텔

○ 메리골드 호텔

←
아나 만다라 빌라

○ 꽌옥 33

○ 호텔 콜린

리엔 호아 베이커리

반깐레 ○

○ 달랏 야시장
○ 라타스 달랏
랑팜 디저트 뷔페

더 초코 ○
달랏 기차역 ○

○ 쑤언흐엉 호수

○ TTC 호텔 응옥란

○ 랑팜 스토어

고! 달랏

○ 팰리스 헤리티지 호텔

○ 라 플뢰르 프리미엄 센트럴 아파트먼트

○ 르 샬레 달랏
○ 바비큐 모테

○ 크레이지 하우스
○ 바오다이 여름별장

ATTRACTION

RESTAURANT

CAFE & DESSERT

SHOPPING

HOTEL & RESORT

달랏 케이블카 역
○

ATTRACTION

01 달랏 기차역 Dalat Railway

역사를 품고 달리는 기차역

프랑스 식민 시대의 건물로 세 개의 높고 뾰족한 지붕은 랑비앙 산의 3개 봉우리를 본뜬 것이란 설이 있다. 호찌민과의 빠른 연결을 위해 건설된 달랏 철도는 내리막 오르막이 많은 지형 탓에 공사 기간이 30년에 달할 정도였다. 한때 나트랑과 호찌민으로 매일 두 번씩 기차가 운행했지만 베트남전쟁으로 대부분의 철로가 파괴되었고, 1991년 7km의 노선을 복원한 후 오늘날에는 린프억 사원을 오가는 관광열차가 운행되고 있다. 빈티지풍의 촬영용 열차, 플랫폼 위 노점상들, 창고를 개조한 멋스러운 카페, 다양한 촬영 스폿까지 기차역이라기보다는 철도 테마공원에 가깝다.

FARE 5천 동 OPEN 7:00~17:30

02 달랏 대성당 Domaine de Marie Church

달랏을 대표하는 종교 건축물

유럽풍 건축양식에 베트남 특유의 분위기가 입혀진 독특한 건축물이다. 푸른 하늘 아래 파스텔톤으로 화사하게 빛나는 성당의 모습이 상당히 이국적이다. 첨탑이나 종탑이 없고, 정원은 꽃의 도시답게 알록달록하게 가꾸어져 있다. 다낭 대성당보다 더 크고 세련된 느낌이라 웨딩 촬영 등 기념사진을 찍으러 오는 여행객들이 많다. 내부 입장이 가능해 신자라면 예배당에서 조용히 기도를 올릴 수 있다.

03 바오다이 여름별장 Bao Dai Summer Palace

베트남 마지막 황제의 별장

1930년대 바오다이 왕이 더위를 피하기 위해 지은 곳이다. 화려하지는 않지만 왕의 집무 공간과 생활터

를 자세히 들여다볼 수 있어 찾는 이들이 많다. 1층은 왕의 일터로 사무실, 응접실 등이 있고 2층에는 객실과 편의시설이 있는데 방마다 주인의 개성이 묻어 있어 흥미롭다. 창밖으로 보이는 아름다운 정원 역시 눈길을 사로잡는다. 차로 약 15분 거리에 있는 바오다이 황제 제1궁전은 좀 더 규모가 크며 입장료는 9만 동이다.

<u>FARE</u> 4만 동 <u>OPEN</u> 7:00~17:30

04 쑤언흐엉 호수 Xuan Huong Lake

달랏 중심부의 대형 인공호수

'봄의 향기'란 뜻의 대형 인공호수로, 프랑스 식민 시기에 만들어졌다. 호숫가에는 잔디밭과 꽃 정원이 아름답게 꾸며져 일 년 내내 꽃내음을 만끽할 수 있다. 달랏 시내를 오가다 보면 호수 주변 도로를 여러 번 지나기 때문에 달랏을 대표하는 풍경으로 각인되기도 한다. 크기가 무려 25 헥타르에 달하기 때문에 호수 주변을 산책하거나 오리배를 타며 시간을 보낼 수도 있고, 달랏 꽃 정원 등의 관광 명소, 고 마트 등의 쇼핑 명소와 같은 주변 스폿과 함께 둘러보기에도 좋다.

05 달랏 꽃 정원 Dalat Flower Garden

화려한 도시 정원

1966년 설립된 공원으로 300종 이상의 꽃과 나무, 식물로 꾸민 설치물 등을 관람할 수 있다. '꽃의 도시'라는 별칭답게 달랏에서는 일 년 내내 꽃을 만날 수 있으며, 달랏의 꽃은 베트남 전역으로 수출될 정도로 유

명한 특산품이다. 꽃을 좋아하는 어르신들에게 추천할 만하지만, 규모가 크기 때문에 체력이 부친다면 입구에 마련된 전동카를 이용하자. 2년마다 한 번씩 열리는 베트남 최대 규모의 꽃 축제 행사 장소 중 한 곳이라, 방문 시기와 맞는다면 더욱 화려한 도시 풍경을 즐길 수 있다. 정원 바로 맞은편 호숫가에 조성된 식당가에서는 근사한 풍경을 즐기며 식사와 음료를 즐길 수 있다.

FARE 7만 동 OPEN 7:30~18:00

06 크레이지 하우스 Crazy House

흥미진진한 동화 속 탐험

안으로 들어가는 순간 왜 이러한 이름이 붙었는지 단번에 이해가 가는 곳이다. 거대한 나무 모양의 건물, 해저세계를 형상화해놓은 지하 공간, 포도 넝쿨 모양의 난간에 창문은 거미줄 모양이라니. 이 건물은 베트남의 유명 건축가이자 아티스트인 당 비엣 응아(Dang Viet Nga)의 작품으로 1990년부터 짓기 시작했다. 직선이 없는 가우디 건축의 영향을 받았다고 스스로 밝힌 만큼 제멋대로 생긴 창문, 터널 같은 계단, 거대한 소라 껍데기 모양의 입구 등 온 공간이 독특한 디자인으로 가득하다.

FARE 6만 동 **OPEN** 8:30~18:00 **SITE** crazy-house.vn

07 달랏 케이블카 Khu Du Lich Cap Treo Da Lạt

달랏을 즐기는 최고의 방법

달랏 시내의 모습을 한눈에 감상하고 싶다면 달랏 케이블카를 이용해보자. 케이블카 역에는 다양한 포토존이 있어 사진을 찍기에도 좋다. 케이블카는 최대 4명까지 탑승할 수 있으며, 총 50대가 운행한다.

FARE 케이블카 성인 왕복/편도 12만/10만 동
OPEN 7:30~12:00 · 13:00~16:30
SITE dalattourist.com.vn

08 로빈 힐 Robin Hill

달랏을 한눈에

달랏 시내에서 남쪽에 위치한 해발 1,517m 높이의 언덕이다. 뒤로는 고산지대와 울창한 숲이 펼쳐져 있고 앞으로는 달랏 시내 전망이 펼쳐진다. 상가 건물 안에 자리한 탑승장에서 케이블카를 타면 죽림선원으로 이어진다. 케이블의 길이가 2,267m에 달하며 이동에 12분 정도 소요된다. 발 아래 펼쳐진 달랏의 아름다운 자연을 감상하는 특별한 시간이 될 것이다.

09 죽림선원 Thien Vien Truc Lam

화려한 건축물과 아름다운 꽃 정원

달랏의 분위기를 한껏 느낄 수 있는 멋진 사원이다. 로빈 힐에서 케이블카를 이용하면 바로 닿을 수 있기 때문에 함께 둘러보기에 좋다. 사람들로 북적이는 관광지가 아니라 승려들이 실제로 수련을 하는 곳이기 때문에 제한 구역을 지키고 조용히 둘러보는 매너가 필요하다.

OPEN 7:00~17:00

10 까오다이교 사원 Cao Dai Temple

베트남 신흥 종교의 현재

린프억 사원 건너 언덕 위에 자리한 까오다이교 사원으로 멀리서도 눈에 띌 만큼 규모가 크다. 어디서도 보지 못한 독특한 색감의 사원 건물과 예배당이 제법 장엄하다. 관광객들의 자유로운 출입을 허용하지만 종교사원이므로 기본 예의를 갖추는 것이 좋다. 흰옷을 입고 예배를 드리는 신자들을 마주치게 됐을 때에는 조용히 목례를 하자.

OPEN 6:00~21:00

⑪ 린프억 사원 Linh Phuoc Pagoda

화려한 모자이크 사원

도시에서 수집한 도자기 조각으로 화려하게 장식한
불교사원으로 모자이크 사원으로도 불린다. 1952
년 완공되었으나 전쟁으로 파괴되었고, 1990년에
지금의 모습으로 재건되었다. 길이 49m에 달하는
용 조형물은 꼬리 지느러미에만 1,200개의 맥주
병이 사용됐으며, 27m 높이의 다바오 탑에는 수
천 개의 깨진 그릇이 들어갔다고 한다. 탑 2층에 있
는 종은 베트남 중부에서 가장 큰 종으로 무게가
5,800kg에 달한다. 종 하단에는 종이가 잔뜩 붙어
있는데, 소원을 적은 종이를 붙이고 종을 세 번 울
리면 소원이 이뤄진다는 속설 때문이다. 그 외에도
60만 송이의 드라이플라워로 만들어진 아시아 최
대 규모의 관음상, 베트남에서 가장 높은 실내 부
처상 등 입이 떡 벌어지는 볼거리가 무궁무진하다.

DAY TRIP

---

01 랑비앙 산 Langbiang Mountain

'달랏의 지붕'으로 불리는 곳

랑비앙 산은 달랏 중심에서 북쪽으로 12km 거리에 자리해 있다. 높이는 약 2,169m로 세 개의 높은 봉우리인 할아버지 산(Nui ong), 할머니 산(Nui Ba), 라다 산(Nui Ra dar)으로 구성되어 있다. 길이 험해 정상까지 가려면 지프차를 이용해야 하며 6인 정원을 채워 이동한다. 정상 전망대에 도착하면 절경을 감상할 수 있다. 기념품점과 포토존이 있어 사진을 찍기 좋다.

FARE 입장료 5만 동, 지프 1인 12만 동(왕복)

---

02 골든 밸리 Golden Valley

유유자적 산책하기 좋은

달랏 사람들은 완만한 능선을 따라 유유히 흐르는 하천에 '골든 밸리'라는 멋진 이름을 붙인 후, 2005년 다양한 시설을 갖춘 유원지를 개장하기에 이른다. 울창한 소나무숲, 그늘진 언덕을 따라 난 예쁜 오솔길, 아기자기한 조형물과 낭만적인 나무 다리까지 천천히 산책하면서 기념 사진을 남겨보자. 외국인 여행객보다

는 현지인이 많은데, 대개 호수에서 오리배를 타거나 돗자리를 깔아놓고 바비큐를 먹으며 노래와 춤을 즐긴다. 언덕 위에 있는 오픈 카페에서 풍경을 감상하며 시원한 커피 한 잔을 즐겨보는 것도 추천한다.

FARE 7만 동 OPEN 7:00~18:00 SITE thunglungvang.vn

⑬ 호아손 국립공원 Hoa Son Dien Trang

달랏 최고의 포토 스팟

어디든 아름다운 풍경을 자랑하는 달랏이지만, 사진 찍기 좋은 곳에 독특한 조형물까지 만들어놓은 이 특별한 공원만큼은 빼놓을 수 없다. 코끼리 폭포로 가는 길, 원시림에 조성된 공원으로 긴팔원숭이와 희귀종 조류가 살고 있는 아름다운 숲이 시선을 압도한다. 벚나무 4천여 그루로 이루어진 벚나무길, 사파 장미로 꾸며진 장미 정원, 폭포 캠핑장, 목조주택 등 산책할 곳도 포토존도 많다. 특히 나무를 엮어 만든 '거대한 부처의 손' 조형물은 인기 촬영 스팟이라 대기줄이 늘어설 때가 많다.

__FARE__ 5만 동 __OPEN__ 24시간 __SITE__ hoasondientrang.com

04 **다딴라 폭포** Datanla Waterfalls

스릴 넘치는 캐녀닝과 알파인코스터

산속 깊숙이 숨어 있는 계곡과 폭포에 사람들의 발길이 닿게 된 것은 단숨에 폭포 아래에 닿을 수 있는 알

파인코스터 덕이 크다. 힘들게 산
을 오르내리지 않고도 스릴을 즐
기며 시원한 폭포를 감상할 수 있
는 알파인코스터 외에도 캐녀닝,
짚라인 등 다양한 액티비티를 즐
길 수 있어 젊은 여행자들에게 인
기가 많다. 폭포 옆에는 작은 카
페가 있어 출출해진 배를 달랠
수 있다.

FARE 20만 동 OPEN 7:00~17:00

---

 05 **메린 커피 농원** Me Linh Coffee Garden

베트남을 대표하는 커피 산지

세계 2위의 커피 생산국 베트남의 대표 커
피 산지는 바로 달랏이다. 달랏 근교 산악
지대의 여러 농장에서 커피가 생산되고
있으며, 메린 커피 농원도 그중 하나다. 넓
게 펼쳐진 커피나무 정원 위 360도 파노
라마 카페에서 마시는 커피의 풍미는 무
엇과도 비교할 수 없을 만큼 특별하다. 동
물을 이용한 커피 재배는 정부의 허가를
받은 농가만이 가능한데, 바로 이곳에서
시중에서 구하기 어려운 족제비똥 커피
의 제조 과정과 맛을 확인할 수 있다는 점
도 매력적이다.

FARE 2만 5천 동 OPEN 7:00~18:00 SITE melinhcoffeegarden.com

06 프렌 폭포 Prenn Waterfalls

달랏의 숨은 명소

달랏 시내에서 약 20km, 뚜
옌람 호수 동쪽에 위치해 있
다. 폭포의 규모도 제법 크지
만 폭포 안쪽에 조성된 산책
로 덕분에 더욱 인기가 많아
졌다. 폭포로 가까이 가면 사
방으로 튀는 물방울로 옷이
젖을 수 있으니 비옷이나 우
산을 챙겨가기를 권한다.

FARE 22만 동
OPEN 9:00~17:00

07 클레이 터널 Clay Tunnel

아이들이 더 좋아하는 조각 공원

길이 2km의 노천 터널에서 점토와 콘크리트로 만든 다양한 조형물을 만날 수 있다. 달랏 시의 기원과 형
성 및 발전의 역사를 재현한 특별한 건축 작품은 물론 차, 비행기, 도마뱀, 용, 유명 건축물 등 다양한 설치

미술 작품을 감상할 수 있
는데 그중에서도 물 위의
거대한 얼굴 조각이 가장
유명한 포토 스폿으로 꼽
힌다. 연인 혹은 아이들과
함께 방문하기 좋다.

FARE 9만 동
OPEN 7:00~17:00
SITE dalattourist.com.vn

판랑 사막 즐기기

나트랑에서 무이네 사막보다 더 가까운 곳에 판랑 사막이 있다. 나트랑 공항에서 1시간 20분 거리로 무이네 못지 않은 아름다운 풍경과 특별한 경험을 선사한다. 사막 지프 투어를 할 때 강한 햇볕을 가려줄 선글라스와 바람을 막아줄 모자는 필수다. 예쁜 사진을 남기고 싶다면 화이트 계열이나 화사한 색깔의 옷을 입는 것이 좋다.

OH! MY TIP

베나자 판랑 사막 투어 이용하기
베나자의 판랑 사막 투어를 이용하면 호텔 픽업부터 드롭 서비스까지 제공된다. 판랑 사막은 물론 양 목장, 불교사찰, 쌀국수 점심, 저녁식사까지 편하게 즐길 수 있다. 투어 시간은 오전 11시부터 오후 8시까지 총 9시간 소요된다. 비엣젯항공(VJ837), 베트남항공(VN441) 편으로 나트랑에 도착해 바로 이용할 수 있다.

MUI NE

---

01 화이트 샌듄 White Sand Dunes

눈부신 모래 언덕

바람에 따라 끊임없이 모습을 달리하는, 역동적인 풍경을 선사하는 독특한 자연 명소다. 모래에 석회질이 섞여 있어 흰색을 띄는 것이 특징이다. 사륜 오토바이나 버기카를 대여해 레저를 즐길 수도 있고, 일출이나 일몰 시간에 맞춰 방문해 멋진 사진을 남길 수도 있다. 한낮에는 해를 피할 그늘이 없으므로 되도록 늦은 오후나 이른 아침 방문을 추천한다.

---

02 레드 샌듄 Red Sand Dunes

일몰 속에서 즐기는 샌드보딩

화이트 샌듄보다 규모는 작지만 좀 더 액티브한 활동을 즐길 수 있다. 붉은 빛이 도는 모래 언덕으로 모래 입자가 단단해서 샌드보딩을 즐기기에 최적의 환경으로 손꼽힌다. 근처에 장판을 잘라서 만든 다소 조악한 형태의 모래 썰매를 대여하는 상인들이 많다. 반드시 흥정 후 요금을 확정하는 것이 좋다.

03 피싱 빌리지 Fishing Village

호젓한 베트남 어촌마을

알록달록한 빛깔의 베트남 전통 배가 평화롭게 떠 있는 어촌 풍경은 어느덧 무이네의 대표적인 이미지가 되었다. 실제로 갓 잡은 물고기를 가지고 그 자리에서 흥정이 펼쳐지기도 한다. 눈앞에 펼쳐지는 이국적인 장면에 마음이 절로 편안해진다.

04 요정의 샘 Fairy Stream

베트남의 독특한 자연

붉은 협곡을 구불구불 통과하는 작은 개울로, 주변으로 붉은색과 하얀색 모래가 퇴적되어 신비로운 풍경을 선사한다. 눈으로는 무이네의 아름다운 자연을 감상하며 발 아래로는 졸졸 흐르는 시냇물을 자박자박 밟는, 기분 좋은 산책을 즐겨보자. 따라오면서 말을 거는 현지인이 있다면 대부분 가이드 팁을 요구하는 경우가 많으니 주의할 것.

OH! MY TIP

베나자 무이네 투어 예약하기

나트랑에서 무이네까지는 자동차로 편도 4시간 정도 거리로 슬리핑 버스, 밴 예약, 투어 예약을 통해 이동할 수 있다. 여행 일정이 짧거나 가족 여행자라면 편하게 투어를 통해 무이네를 방문하는 것이 좋다. 베나자에서는 나트랑에서 출발하는 무이네 지프 투어, 해돋이 지프 투어, 선셋 지프 투어를 운영한다. 일정별로 선택할 수 있고, 식사를 포함해 주요 명소를 한번에 둘러볼 수 있어 편리하다.

RESTAURANT & CAFE

01 퍼 히우 PHO HIEU

잊지 못할 그 육수

1979년에 운영을 시작한 유명 쌀국수 맛집으로, 우리나라 방송에 나온 뒤에는 웨이팅이 더 길어졌다. 진한 소고기 육수에 넉넉한 고기 인심이 미소를 자아낸다. 한국인 손님이 많아 한국어 메뉴판이 준비되어 있으며 주문 시 고수를 넣을지도 미리 확인한다. 칼칼한 맛을 원한다면 분보후에도 추천할 만하다.

<u>MENU</u> 퍼 보 5만 동, 분보후에 5만 동, 반미 3만 동 <u>OPEN</u> 6:00~20:30

02 르 샬레 달랏 Le Chalet Dalat

분위기와 맛 모두 사로잡은

크레이지 하우스 맞은편에 위치한 퓨전 음식점. 남 프랑스풍의 농가주택을 개조한 듯 멋스러운 분위기가
가득하고 그 안에 녹아든 베트남식 콘셉트도 눈길을 끈다. 실내석은 아늑하고 야외석은 잘 가꿔진 정원 같
아 취향대로 선택할 수 있다. 재료의 신선함을 강조한 메뉴는 물론 화려한 비주얼의 스무디까지 어느 하나
부족함이 없어 여행자들의 발길이 끊이지 않는다.

MENU 분보후에 12만 동, 아메리카노 4만 5천 동 OPEN 일~목 7:00~17:00, 금~토 7:00~20:30

03 반깐레 Bánh Căn Lệ

꼭 맛봐야 할 달랏 별미

베트남 중부 음식인 반깐 전문점으로 좁은 골목에 위치해 있지만 손님이 많다. 즉석에서 쉴 새 없이 만들
어내는 반깐의 맛은 그야말로 환상적이다.
함께 주는 특제 소스에 빵을 찍어 입에 넣
으면 상큼한 풍미가 입 안을 가득 채운다.
소스에 피시볼을 추가하면 극강의 맛을 느
낄 수 있다. 오전부터 오후까지만 문을 열
기 때문에 일정이 빠듯하다
면 포장을 추천한다.

MENU 비프 3만 5천 동
OPEN 6:30~15:30

비비큐 모테 BBQ Mọ Tề

현지인들에게도 사랑받는 바비큐 식당

저녁이면 시원한 바람이 부는 달랏이기에 뜨거운 화로에 구워 먹는 고기가 더욱 맛있게 느껴진다. 이곳은 해가 지면 빈 자리를 찾기 어려울 정도로 인기가 대단한 식당이다. 각종 고기와 새우, 오징어 등의 해산물을 기호에 맞게 고르면 직원이 직접 구워준다. 양껏 먹어도 인당 1만 원을 넘지 않을 만큼 가성비가 좋다. 흥겨운 음악과 시끌벅적한 분위기가 입맛을 돋우는 기분 좋은 맛집이다.

MENU 해산물 볶음밥 11만 7천 동, 비프 9만 7천 동, 포크 7만 9천 동
OPEN 14:00~23:00
SITE bbq-mo-te-nuong.business.site

 꽌옥 33 Quán Ốc 33

달랏에서 맛보는 프랑스 달팽이찜

희한하게도 달랏에는 한국식 바비큐 열풍이 불고 있다. 그러나 원래 달랏은 고유의 바비큐 문화가 있는 곳이다. 꽌옥은 특제 양념으로 버무린 신선한 육류와 해산물을 화로에서 구워내는, 달랏의 바비큐를 제대로 선보이는 곳이다. 주로 현지인들이 많이 방문하는데 식사 시간에는 웨이팅이 있다. 해산물 바비큐도 맛있지만 프랑스 영향을 받아 발전한 달팽이찜 요리 역시 일품이다.

MENU 달팽이찜 16만 동, 오징어 바비큐 17만 동 OPEN 10:00~22:00

06 라 비엣 커피 La Viet Coffee

전용 커피 농장에서 공수한 커피

카페에 들어선 순간, 기다렸다는 듯 밀
어 닥치는 향기와 분위기에 커피의 산
지에 왔다는 실감이 든다. 자체 커피 농
장과 로스팅 공장을 운영하고 있는 라
비엣 커피는 베트남 커피에 대한 자부심
으로 똘똘 뭉친 곳이다. 제대로 된 달랏
커피를 마시고 싶다면, 또한 달랏의 커
피 문화를 온전히 느껴보고 싶다면 꼭
가보자. 커피 마니아라면 이곳에서 운
영하는 일일 커피 농장 체험에 참여해
보는 것도 추천한다.

MENU 아메리카노 3만 5천 동, 콜드브루 라테 4만 5천 동
OPEN 7:00~22:00 SITE laviet.coffee

07 리엔 호아 베이커리 Lien Hoa Bakery

달랏의 빵지순례 명소

시내에 위치한 대형 베이커리다. 빵의 종류가 다양하고
가격도 저렴해서 고르는 재미가 있다. 우리에게 익숙한
빵도 있지만 대부분은 베트남 특색이 강한데, 의외로 우
리 입맛에도 잘 맞아서 재방문하는 한국인 여행객들이 많
은 편이다. 베스트셀러인 반미는 즉석에서 뚝딱 만들어주
는데, 점심시간이나 퇴근길에는 반미를 사러 들른 현지
인들로 늘 북적인다. 2층은 레스토랑도 겸하고 있어서 간
단히 식사도 할 수 있다.

MENU 베이커리류 1만~4만 동, 반미 2만 동~
OPEN 5:00~24:00

08 더 초코 THE CHOCO

세상에서 가장 맛있는 아이스 초코

달랏 기차역 창고를 개조한 독특한 콘셉트의 초콜릿 전문 카페. 다양한 종류의 초콜릿과 초콜릿 음료를 선보이는데, 얼음과 생초콜릿이 함께 씹히는 아이스 초콜릿이 가장 인기가 많다. 건물 자체도 기차역과 잘 어우러져서 사진을 남기기에 좋다. 달랏 시내에도 두 개의 지점이 운영 중이다.

MENU 아이스드 초콜릿 블렌디드 4만 5천 동, 카푸치노 아이스드 셰이크 4만 5천 동
OPEN 8:00~21:30

09 랑팜 디저트 뷔페 L'angfarm Buffet

신선한 식재료로 만든 디저트

달랏 야시장에 위치한 디저트 카페로, 달랏의 농산 가공품을 판매하는 랑팜 매장의 다양한 식품을 저렴한 가격에 선보인다. 반짱느엉, 만두 등 스낵류는 물론 건과일, 젤리, 케이크 등 달콤한 디저트를 무제한으로 맛볼 수 있다. 1층은 매장, 2층은 뷔페 식당이 자리해 있어 쇼핑과 식사를 동시에 즐기기 좋다.

MENU 뷔페 월~금/토~일 6만 9천/7만 9천 동
OPEN 7:30~22:30 SITE www.langfarm.com

⑩ 아티스트 앨리 레스토랑 Artist Alley restaurant

숨은 보석 같은 식당

좁은 골목 사이에 이렇게 사랑스러운 레스토랑이 숨어 있었다니. 화가이기도 한 주인의 독특한 작품이 빼곡한 벽면과 애정이 담뿍 담긴 소품들이 평범한 공간을 예술적 영감으로 일렁이게 한다. 소박한 플레이팅에 어리둥절한 것도 잠시, 요리를 맛본 순간 만족스러운 미소가 만면에 퍼진다. 낮에는 2층 테라스로 환한 빛이 들어오고, 디너 타임에는 피아노 라이브 연주로 분위기를 북돋운다. 달랏에서 특별한 시간을 보내고 싶다면 놓치기 아쉬운 곳이다.

<u>MENU</u> 아보카도 샐러드 6만 5천 동, 치킨 커리 8만 동 <u>OPEN</u> 11:00~21:00

⑪ 반미 난가이 Banh Mi Ga Nhan Ngai

달랏에서도 빼놓을 수 없는 반미

현지인들이 즐겨 찾는 반미 맛집으로 크레이지 하우스, 달랏 호수와 가까워 들르기 좋다. 반미 외에도 베이커리, 김밥, 기본 음료수도 판매해 간단하게 배를 채우기 좋다. 내용물이 적은 듯 보이지만 빵과 조화가 딱 맞다. 다른 반미집과는 달리 기본인 달걀 반미는 없다. 매운 맛을 좋아한다면 칠리소스 추가를 추천한다.

<u>MENU</u> 치킨 반미 20만 동 <u>OPEN</u> 6:00-20:00

SHOPPING

 랑팜 스토어 L'angfarm Store

믿고 먹을 수 있는 지역 농산물

달랏에서 생산되는 농산물을 엄격한 기준에 맞춰 가공하고 포장해 베트남 전역에서 판매하는 전문 매장이다. 주스, 건과일, 차, 잼, 고기, 커피, 씨앗 등 다양한 농산물 및 관련 제품을 다루는데 소비자들의 신뢰도가 높은 편이다. 시장 가격에 비해 조금 비싸지만 디자인과 포장이 깔끔해 선물용으로 구입하기에도 좋다. 달랏 곳곳에서 매장을 운영하고 있어 방문도 편리하다.

<u>OPEN</u> 7:30–22:30(매장별 상이) <u>SITE</u> www.langfarm.com

02 고! 달랏 GO! Da Lat

달랏에서 가장 큰 쇼핑센터

쑤언흐엉 호수 근처, 예르생 공원 옆에는 초록색 돔 모양의 신기한 건물이 자리한다. 이곳 지하에 큰 규모의 고 마트가 들어서 있다. 달랏에서 가장 큰 쇼핑센터인 데다 각종 식당과 즐길 거리들이 모여 있어 주말에는 여가를 보내는 현지인들로 붐빈다.

OPEN 7:30~ 22:00

03 라타스 달랏 LATA'S Dac San Da Lat

달랏 특산품은 이곳

달랏 야시장에 자리해 있어 여행자라면 한번쯤 들르게 되는 특산품 전문점이다. 랑팜 스토어와 함께 달랏에서 기념품 사기 좋은 곳으로 꼽히며, 랑팜 스토어보다는 가격이 저렴한 편이다. 필수 쇼핑 아이템이자 최고 인기 상품린 건망고 외에도 건과일, 잼, 견과류 등을 판매한다. 랑팜 스토어와 달리 시식 코너도 마련되어 있다.

OPEN 7:00-24:00

나트랑·달랏 여행 준비하기

PLAN A TRIP

D-45 가이드북 구입 및 여행 정보 수집

여행 정보 수집

여행 전 가이드북은 물론 자유여행 카페와 블로그, 관련 사이트와 어플리케이션 등 다양한 채널을 통해 여행 정보를 최대한 수집하자. 여행지에 대해 알아갈수록 현지를 파악하고 일정을 결정하는 데 큰 도움이 된다. 이후 일정과 준비물 리스트, 명소, 음식, 쇼핑 등 주제별 관심사를 대략적으로 정리해보자. 리스트를 작성해두면 여행 전 빠뜨린 것은 없는지, 여행 중 예산을 넘는 충동구매는 없을지 등을 쉽게 확인할 수 있다.

베트남 여행 전문 카페와 여행사

베트남 여행을 더욱 알차게 해보고 싶다면 나트랑 여행 카페인 '베나자', 베트남 전문 여행 사인 '여행하기 좋은날'을 이용해보자. 항공권부터 호텔, 렌터카 프로모션은 물론 여행자에게 꼭 필요한 여행 정보 제공, 다양한 액티비티와 투어, 마사지 예약을 통해 꼼꼼하게 여행을 준비할 수 있다.

베나자 cafe.naver.com/mindy7857
굿데이투어 smartstore.naver.com/nhatrang

D-40 항공권 발권

나트랑 행 항공편(인천, 김해)은 하루 평균 10편으로 대한항공, 아시아나는 물론 제주항공, 진에어, 에어서울 등 저가 항공사와 베트남항공, 비엣젯항공과 같은 현지 항공사까지 선택의 폭이 넓다. 달랏 행 직항편도 매일(인천 출발, 비엣젯항공) 운항하고 있다.

나트랑 달랏 직항 항공편 *2023년 12월 기준

노선	항공사	편명	출발	도착
인천-나트랑	베트남항공	VN441	6:20 인천	9:20 깜라인
		VN440	21:25 깜라인	4:30(+1) 인천
	비엣젯항공	VJ835	9:55 인천	13:05 나트랑
		VJ834	1:50 나트랑	8:40 인천
	비엣젯항공	VJ837	6:20 인천	9:30 나트랑
		VJ836	21:40 나트랑	4:30(+1) 인천
	비엣젯항공	VJ839	1:50 인천	5:00 나트랑
		VJ838	16:05 나트랑	22:45 인천
	에어부산	BX787	22:05 인천	1:10 나트랑
		BX788	2:10 나트랑	9:30 인천
	진에어	LI075	21:20 인천	1:00(+1) 나트랑
		LI076	2:20 나트랑	9:20 인천
	제주항공	7C4907	21:50 인천	1:35(+1) 나트랑
		7C4908	2:35 나트랑	9:45 인천
부산-나트랑	비엣젯항공	VJ991	7:35 부산	10:35 나트랑
		VJ990	00:05 나트랑	6:30 부산
	에어부산	BX751	22:05 부산	23:10 나트랑
		BX752	0:10 나트랑	7:05 부산
인천-달랏	비엣젯항공	VJ945	2:30 인천	5:55 달랏
		VJ944	17:10 달랏	23:55 인천
부산-달랏	비엣젯항공	VJ987	8:15 부산	11:20 달랏
		VJ980	00:45 달랏	7:15 부산

항공권 정보 수집

① 가격 비교 사이트에서 항공사별 항공권 가격 및 조건을 확인한다. 인터파크 투어나 스카이스캐너, 카약닷컴 등을 활용하면 손쉽게 조건에 맞는 항공권을 비교 검색할 수 있다.
② 각 항공사 사이트로 이동, 프로모션이나 특가 항공권을 찾아본다. 항공사 홈페이지나 어플리케이션을 통해 구입하는 티켓이 가장 저렴한 경우가 많다.
③ 최종 결정 전 소셜커머스에 올라와 있는 특가 또는 땡처리 항공권의 가격을 확인해 혹시나 놓친 티켓은 없는지 점검한다.

항공권 발권 전 확인하기

① 최종 가격을 따져본다. 항공사에서 '특가'로 소개한 가격이라도 유류할증료와 공항세 등이 더해지면 예상보다 가격이 훨씬 높아질 수 있다.
② 세부 조건을 확인한다. 할인에는 언제나 조건이 붙는다. 항공권의 유효기간은 물론 환불 및 일정 변경 가능 여부, 마일리지 적립 여부를 반드시 확인하자. 규정을 제대로 숙지하지 않아 발생하는 피해는 고스란히 자신의 몫이다.
③ 예약과 발권은 다르다. 필요한 정보를 기재하고 예약을 마친 후 결제까지 마무리해야 비로소 발권된다. 예약 시에는 원하는 좌석이 남아 있었더라도 발권을 미루면 선결제자에게 좌석 선택의 기회를 빼앗길 수 있으니 주의하자.

D-30 여권 발급 및 갱신하기

해외여행을 계획하고 있다면 여권부터 확인하자. 여권은 국내외에서 신분을 증명하는 중요한 서류로, 발급받으려면 사전 준비물과 일정 시간이 필요하다. 대한민국 국적자는 전국 여권 사무 대행기관 및 재외공관에서 여권을 발급받을 수 있다.

기존에 전자여권을 한 번이라도 발급 받았다면 정부24 홈페이지에서 온라인 여권 재발급도 가능하다. 다만 만 18세미만, 생애 최초 전자여권 신청자 등은 신청 불가능하다.

외교부 여권 안내 passport.go.kr
정부24 www.gov.kr

전자여권 발급 수수료

구분			수수료	
복수여권	10년 이내(18세 이상)		58면	53,000원
			26면	50,000원
	5년(18세 미만)	만8세 이상	58면	45,000원
			26면	42,000원
		만8세 미만	58면	33,000원
			26면	30,000원
	5년 미만		26면	15,000원
단수여권	1년 이내		20,000원	

여권 신청 구비 서류

공통 구비 서류는 ① 여권발급신청서 ② 여권용 사진 1매(6개월 내에 촬영한 사진) ③ 신분증 ④ 병역관계 서류(18~37세 이하 남성)가 필요하다. 미성년자의 경우 ⑤ 법정대리인 동의서 ⑥ 법정대리인 인감증명서(본인서명확인서, 전자본인서명서) ⑦ 기본 증명서 및 가족관계증명서가 필요하다. 국적상실자로 의심되는 경우 국적 확인 서류가 필요하다. 가족관계기록사항에 관한 증명서와 병역관계서류는 행정정보 공동이용망을 통해 확인 가능한 경우 생략 가능하다.

유효기간 확인

여권을 분실했거나 유효기간이 6개월 미만인 경우에도 반드시 여권을 재발급 받아야 한다. 여권 분실의 경우 여권 신청 서류에 여권분실신고서가 추가된다. 항공권을 구입할 때부터 여권의 유효기간은 매우 중요하다. 여권 만료일 불충분 승객(유효기간 6개월 미만)에 대한 강력한 경고 조치로 구입한 항공권을 제시하더라도 출입국이 불가할 수 있다.

여권 발급 Q&A

Q. 타인이 대신 신청할 수 있나요?

A. 만18세 이상 성인의 경우 여권 발급 신청은 여권법 제9조에 의거 반드시 본인이 직접 해야 한다. 본인이 직접 신청할 수 없을 정도의 신체적·정신적 질병, 장애나 사고 등으로 인해 대리인에 의한 신청이 특별히 필요한 경우(전문의 진단서 또는 소견서 구비), 18세 미만 미성년자인 경우에는 대리인을 통한 신청이 가능하다.

Q. 얼굴은 이마부터 턱까지 전체가 다 나와야 하나요?

A. 여권 사진의 얼굴은 이마부터 턱까지 얼굴 전체가 나타나는 것이 원칙이며, 머리카락이 눈 또는 얼굴의 윤곽을 가려서는 안된다. 헤어스타일로 인해 머리카락이 눈썹을 가리더라도 머리카락 사이로 양쪽 눈썹의 윤곽 및 형태를 명확히 확인할 수 있어야 한다.

Q. 귀를 가린 사진이 가능한가요?

A. 머리카락으로 귀를 가려도 무방하지만, 얼굴 윤곽은 보여야 한다. 머리카락이 볼, 광대 부위 등을 가린 사진은 사용할 수 없다.

Q. 사진 배경이 반드시 흰색이어야 가능한가요?

A. 배경은 균일한 흰색이어야 하지만, 흰색의 범위가 규정되어 있지는 않으므로 흰색에 가까운 미색 배경은 사용 가능하다. 흰색(미색) 의상은 사진 상으로는 배경과 구분이 되더라도, 사진전사식 인쇄를 할 때 배경과 구분이 되지 않는 경우가 있을 수 있으므로 지양한다.

Q. 두 눈썹이 꼭 보여야 하나요?

A. 안경테로 눈을 가린 경우는 불가능하지만 눈썹을 가린 사진은 무방하다. 머리카락이 눈썹을 가리는 경우, 머리카락 사이로 양쪽 눈썹의 윤곽 및 형태를 명확히 확인할 수 있어야 한다. 한쪽 눈썹은 완벽히 보이고, 다른 눈썹이 반 정도 보이는 경우, 머리카락이 양쪽 눈썹의 일부를 가리는 경우는 가능하다.

Q. 영아(24개월 이하) 및 유아의 여권 사진 규격은 어떻게 되나요?

A. 유아의 사진 규격은 성인의 사진 규격과 동일하다. 유아 단독으로 사진을 촬영해야 하며 의자, 장난감, 보호자 등이 사진에 노출되지 않아야 한다. 단 영아(24월 이하)의 경우 입을 다물고 찍기 힘든 경우가 많으므로 입을 벌려 치아가 조금 보이는 경우도 가능하다. 신생아의 경우 똑바로 앉히기가 어려우므로 무늬가 없는 흰 이불 위에 눕혀서 찍은 사진도 가능하다.

Q. 여권 발급과 분실 시 재발급은 어떻게 해야 하나요?

A. 여권 발급은 주민등록지와 상관없이 전국의 여권 사무 대행기관에서 접수가 가능하다. 분실 시에는 즉시 가까운 여권 발급 기관에 신고해야 한다. 해외여행 중 여권을 분실했을 경우는 가까운 대사관 또는 총영사관에 여권 분실 신고를 하고 여행증명서와 단수여권을 발급받아야 한다.

주 베트남 대한민국대사관 여권 분실 및 관련 업무
TEL 024-3771-0404, 긴급 84-09-402-6126
OPEN 9:00~12:00 · 14:00~16:00(긴급 24시간)
E-MAIL korembviet@mofa.go.kr

D-20 일정 세우기

자료를 충분히 수집했다면 구체적인 일정을 짜는 것이 수월해질 것이다. 일정을 완벽하게 짜야 한다는 압박에서 벗어나 여행에 나침반 역할을 해줄 큰 틀을 짠다는 생각으로 계획을 세워보자. 일단 여행 일수에 맞춰 일별로 표를 짜고, 빈칸을 오전과 오후로 나눠 식사 시간과 메인 일정을 설정한다. 가고 싶은 곳과 맛집의 위치를 확인하고, 위치상 가까운 곳을 묶어 사이사이에 배치하면 일정이 정리된다.

나트랑의 경우 달랏 방문 계획이 있다면 이동 시간이 있는 만큼 너무 빡빡한 일정은 피하는 것이 좋다. 짧은 시간을 알뜰하게 활용하고 싶다면 베나자의 다양한 투어 프로그램을 이용하자. 이동과 관광, 맛집, 쇼핑, 액티비티까지 효율적으로 즐길 수 있다.

D-10 면세점 쇼핑

면세점은 해외로 출국을 앞둔 내·외국인이 이용할 수 있는 곳으로 다양한 상품을 면세가에 판매한다. 일반적으로 출국 한 달 전부터 구매할 수 있지만 출국하는 공항에 따라 구매 마감 시간이 다르니 구매 전 확인해야 한다. 구매 시에는 출국 일시와 출국 공항, 항공·배편명 등 정확한 출국 정보와 여권을 소지하고 있어야 한다. 면세점은 공항과 기내, 시내, 인터넷에서 이용할 수 있다. 면세점마다 독점 브랜드나 상품 구성을 갖추고 있으며, 인터넷 면세점은 오프라인에 비해 가격 경쟁력이 뛰어나다.

면세 범위는 여행자 휴대품으로 각 물품의 과세 가격 합계 기준 미화 800$ 이하이다. 한도 액을 초과했음에도 신고 없이 물품을 반입한 경우 납부 세액의 40%에 해당하는 가산세가 부과되며, 2회 이상 적발 시 60%의 가산세를 내야 한다.

D-7 환전·신용카드·여행자보험

베트남에서는 신용카드보다 현금 사용 빈도가 높다. 호텔이나 공항, 쇼핑몰 등에서는 신용카드 사용이 가능하지만 관광지나 식당, 택시에서 사용할 베트남 화폐(VND)가 반드시 필요하다. 환전은 은행을 직접 방문하거나 온라인 또는 모바일 뱅킹을 통해 신청한 후 지점 또는 공항에서 수령할 수 있다. 여행 전 환전하지 못했다면 서울역 환전센터와 온라인 또는 모바일 뱅킹을 적극적으로 활용하자. 서울역 환전센터는 연중무휴(7:00~22:00)로 운영한다. 양쪽 모두 환율과 수수료를 우대받을 수 있다.

우리나라에서 환전할 때는 베트남 동으로 바로 환전하는 것보다 미국 달러(USD)로 환전한 후 베트남 현지에서 필요한 만큼 베트남 동으로 바꾸는 이중 환전을 추천한다. 환율도 훨씬 유리하고, 미국 달러를 받는 곳도 많기 때문이다. 나트랑 등 대도시에는 곳곳에 대형 은행이 많아 어렵지 않게 환전 서비스를 이용할 수 있다. 여권을 요구하는 곳도 있으니 챙겨가자.

해외 이용 가능 신용카드

신용 및 체크카드는 해외 사용 여부부터 확인하자. 국내 전용 카드를 제외한 비자(VISA), 마스터(Master), 아멕스(Amex), JCB 및 유니온페이(Unionpay)로 발급된 모든 카드는 해외에서 이용할 수 있으나 간혹 해외 사용이 불가능한 경우가 있으니 여행 전 은행이나 카드사에 문의하는 것이 좋다. 또한 카드와 여권에 표기된 영문 이름이 같은지 확인해야 한다. 특히 체크카드는 보안상 해외 사용 시 신분증을 요구하는 일이 많은데, 이때 이름이 다르면 결제를 거절당할 수 있다. 해외에서 이용한 금액은 카드사 거래 접수일의 전신환 매도율을 적용, 원화로 환산한 금액에 브랜드 이용 및 해외 서비스 수수료를 더해 결제일에 맞춰 청구된다. 현금과 달리 카드로 결제한 금액은 카드 사용 전후에 할부 전환을 신청할 수 있는 점도 알아두자.

여행자보험 가입

여행자보험은 여행을 목적으로 주거지를 출발해 여행을 마치고 주거지에 도착할 때까지 발생한 위험을 보장한다. 비용이 많이 들지 않고, 환전 시 무료로 가입해주는 경우도 있으니 만일을 대비해 들어두길 권한다. 여행 중 상해를 입거나 도난 사고를 당한 경우 치료비나 물품 수리비 등을 보험으로 보상받기 위해서는 반드시 실제 발생한 치료비와 도난 물품에 대한 증빙 서류가 필요하다. 도난 사고 발생 시 경찰서나 지구대에서 사고를 접수하고 도난 물품 목록을 작성해야 한다. 언어 등 기타 문제로 접수를 못했다면 보험금을 청구할 수 없다. 여행자보험은 집에서 출발하는 순간부터 여행지를 거쳐 다시 집에 도착할 때까지만 유효하다. 정해진 기간에 여행자가 보험사고를 당할 시 상해사망과 상해후유장해를 담보한다. 보장 항목 및 한도의 범위가 넓을수록 보험료가 올라가지만, 유효 일수가 한정적이므로 비교적 보험료가 높지 않다.

D-5 짐 싸기

기본 여행 필수품으로는 여권과 항공권, 여행 경비, 운전면허증, 의류, 신발, 선글라스, 모자, 세면도구, 비상약품, 전자 기기, 어댑터, 물놀이 용품, 가이드북 등이 있다. 자신의 여행 스타일과 특성에 맞는 물품을 추가하거나 제외하자. 베트남은 평균 기온이 20도가 넘지만 아열대기후이기 때문에 비가 자주 내리는 만큼 우비나 가디건 같은 겉옷을 준비하는 것도 좋다.

수하물 규정도 미리 확인하자. 일반적으로 기내 반입 수하물 1개에 위탁 수하물 1~2개가 허용되는데, 항공사마다 무게나 크기에 관한 규정이 조금씩 다르다. 돌아올 때 짐이 늘어날 것을 대비해 출발할 때는 가볍게 준비하는 것이 좋다. 캐리어 2개까지 필요하지 않다면 캐리어 1개에 접이식 가방을 준비해가는 방법도 있다. 기내 반입 수하물의 경우 가방 하나의 규격은 세변의 합이 115cm 이내이며 노트북, 서류 가방, 핸드백 중 1개는 추가 휴대가 가능하다.

OH! MY TIP

만약의 경우를 대비하자

만약을 대비해 여권과 신용카드, 숙소 예약 바우처와 보험 증명서 등 사본을 준비하고, 여권용 증명사진 2장도 준비해가자. 도난 사고를 당하거나 부주의로 분실한 여권을 재발급 받는 등 여행 중 생길 수 있는 긴급 상황에 대처하기 위함이다.

D-3 포켓 와이파이 VS 로밍 VS 유심

포켓 와이파이(Pocket WiFi)

데이터 송신 및 와이파이 출력 장치를 대여해 가지고 다니면서 와이파이를 이용하는 서비스로 1대에 3~4명까지 사용할 수 있다. 로밍보다 빠르지만 업체에 따라 데이터 제한이 있고, 단말기 수령 및 반납 절차가 발생한다. 인터넷 웹서핑과 네비게이션으로 이용할 예정이거나 아이들의 영상 시청이 필요한 여행객에게 필수다.

로밍(Roaming)

우리나라에서 사용하던 휴대전화를 현지의 통신 서비스망을 통해 이용할 수 있도록 해주는 서비스다. 출국 시 통신사를 통해 신청하면 되고 번호를 변경할 필요가 없어 편리하지만 비교적 가격대가 높은 편이라 데이터 사용에 부담이 있다는 게 단점이다.

유심(USIM)

현지에서 판매하는 유심을 소유한 단말기에 끼워 현지 통신 서비스망을 이용하는 방법으로 장기 여행자에게 유리하다. 현지 구입은 물론 우리나라에서 사전에 구입할 수 있다. 기종에 따라 유심 호환 여부 확인이 필요하며, 기존에 쓰던 번호를 사용하지 못하기 때문에 수신 확인을 위해서는 기존 심 카드로 다시 교체해야 한다.

이심 (ESIM)

최초 개통 시 SIM 카드 배송을 기다릴 필요 없이 이심을 다운로드해 설치하면 돼 편리하다. 유심과 동시에 사용이 가능하다. 스마트폰의 SIM 관리자 설정에서 통화와 메시지를 USIM으로 설정하고, 모바일 데이터는 해외전용 eSIM으로 설정해두면 해외에서도 통화, 메시지 기능을 정상적으로 사용하면서 현지 통신사의 모바일 데이터를 사용할 수 있다.

OH! MY TIP

현지에서 유심 구입 시 주의할 점

보통 1~2일 4$, 3~5일 5$, 7~8일 7$ 정도의 저렴한 요금에 데이터 무제한으로 소개되지만 실제는 최대 데이터 용량이 정해져 있으니 잘 살피자. 데이터 소진 이후부터는 추가 결제를 해야 하기 때문에 앱 사용이나 인터넷 검색 등으로 데이터 사용량이 많을 것이라 예상된다면 피하는 것이 좋다. 베트남 현지 심 카드 장착 시 사용 중인 국내 심 카드를 잘 보관해두자.

D-Day 출국

비행기 출발 최소 2시간 전에 공항에 도착, 각 항공사 체크인 카운터에서 수속한다. 짐을 부치기 전 기내 반입 금지 물품을 다시 한번 확인, 위탁 수하물로 옮기는 것도 잊지 말자. 셀프 체크인이나 자동 수하물 위탁을 이용하면 대기 시간을 줄일 수 있다. 출국장 내는 면세 구역으로 미리 주문한 면세품을 인도받거나 다양한 면세품을 쇼핑할 수 있다.

인천국제공항 스마트패스 ICN SMARTPASS

여권, 안면 정보, 탑승권 등을 사전 등록한 후 공항에서 출국장, 탑승 게이트 등 출국 프로세스를 얼굴 인증만으로 통과할 수 있다. '인천공항 스마트패스' 모바일 앱 또는 공항 내 셀프체크인 키오스크로도 등록이 가능하며, 안면정보(ID)는 한 번 등록으로 5년간 계속 이용이 가능하다. 출국 시 이용 항공사와 무관하게 스마트패스 등록 여객 모두 사용 가능하다.

고객센터 1577-2600

제1·2여객터미널

인천공항에 갈 때는 이용하는 항공사가 취항하는 터미널을 반드시 제대로 확인해야 한다. 이동 거리가 꽤 멀기 때문에 난감한 상황을 맞을 수 있다. 만일 잘못된 터미널로 갔다면 제1터미널과 제2터미널을 오가는 순환버스를 이용하자. 제1터미널 3층 중앙 8번 출구, 제2터미널 3층 중앙 4번과 5번 출구 사이에서 탑승 가능하다. 배차 간격은 5분이며, 제1터미널에서 제2터미널은 15분, 제2터미널에서 제1터미널은 18분 소요된다.

여행은 코코발렛과 함께

공항 주차 대행의 선두 주자 코코발렛

인천국제공항에서 차량을 가지고 공항을 이용하는 여행자를 대상으로 하는 발렛 서비스 전문 업체다. 빠른 서비스, 전용 주차장에서의 안전한 차량 관리, 간편한 정산으로 베트남 여행자들 사이에서 인기다.

차량 접수 시 모바일로 접수증이 전송되며 연결 링크를 통해 차량 접수 사진과 함께 발렛 보험 여부를 확인할 수 있다. 공항에서 주차장까지의 영상 확보를 위해 블랙박스를 차단하지 않는다. 주차 완료 후 주차기간 내 CCTV 풀영상 역시 확인 가능하다. 사전 예약금 없이 후불 현장 결제(카드 결제 부가세 별도)이며, 출국 전날 또는 당일 취소 시 주차비 전액이 청구된다.

TEL 1544-2682(4:00~23:00, 상담 ~21:00) **SITE** cocovalet.com **카카오 채널** 코코발렛

이용 요금

요금	일반(실외 주차)
주차 대행료(전 차종 동일)	15,000원
일일 이용료(6일차부터 50% 할인)	10,000원
기본 사용료(3일 미만)	40,000원

예약 및 출입국일 진행 순서

STEP 01(예약하기): 코코발렛 홈페이지 또는 모바일 예약 페이지에서 가능하다. 예약 완료 후 카카오톡으로 알림톡이 전송된다.

STEP 02(공항 도착): 출국일 공항 도착 20분 전에 전화 후 사전 안내 받은 접수 장소로 이동한다. 네비게이션 검색 시 '인천공항 제1터미널 단기주차장 지하2층 주차장' 또는 '인천공항 제2터미널 단기 지상 2층 주차장'을 검색하면 된다.

STEP 03(차량 접수): 직원과 함께 차량 내 물품을 확인한다. 차량 외부 사진 촬영 및 보험 등록 후 차량을 이동한다.

*제1여객터미널 단기주차장 지하2층 H26구역, 제2여객터미널 단기주차장 지상2층 145구역

STEP 04(입국 출차): 입국 시 수하물을 찾은 후 전화하면 20분 이내로 출차 가능하다. 차량 접수 장소와 동일하다.

STEP 05(결제하기): 차량 확인 후 요금을 정산한다. 차량은 24시간 출고 가능하다.

NHA TRANG HOTEL & RESORT 나트랑 호텔 & 리조트

VINPEARL RESORT 빈펄 리조트

CAM RANH 깜라인 호텔 & 리조트

NINH VAN BAY RESORT 닌반베이 리조트

DA LAT HOTEL & RESORT 달랏 호텔 & 리조트

NHA TRANG HOTEL & RESORT

인터컨티넨탈 나트랑
InterContinental Nha Trang

(5성급 | 추천 👍)

해변을 따라 자리한 고급 호텔

2014년에 오픈한 모던 럭셔리 비치프론트 호텔. 모든 객실에 욕조와 발코니가 갖춰져 있으며, 시내 중심가에 위치해 관광, 쇼핑 명소 모두 편하게 이동할 수 있다. 해산물 디너 뷔페가 맛있기로 유명하다.

시설 및 서비스 쿡북(CookBook) 카페, 로비 바, 스파, 헬스장, 수영장, 풀 바 등
체크인 · 체크아웃 15시 · 12시
SITE www.intercontinentalnhatrang.com

쉐라톤 나트랑 호텔 앤드 스파
Sheraton Nha Trang Hotel and Spa

(5성급 | 추천 👍)

도심 속 즐기는 고품격 휴양

시내 중심부라는 위치, 최고의 부대시설을 자랑하는 세계적인 호텔 브랜드로 모던한 인테리어와 쾌적한 객실을 갖추고 있다. 루프톱 수영장, 레스토랑과 바에서 모두 오션뷰를 즐길 수 있다. 도보로 나트랑 센터 쇼핑몰과 야시장을 돌아볼 수 있고, 프론트에 한국인 직원이 있어 편리하다.

시설 및 서비스 피스트(Feast)를 비롯한 5개의 레스토랑 및 바, 스파, 수영장, 클럽 라운지 시설 등
체크인 · 체크아웃 15시 · 12시
SITE www.marriott.com/ko/hotels/nhasi-sheraton-nha-trang-hotel-and-spa/overview

포티크 호텔
Potique Hotel

깔끔한 시설, 최고의 편의성

야시장과 가까운 시내 중심에 위치한 가성비 만점 호텔로 도심 여행에 최적이다. 럭셔리한 인테리어는 물론 목욕 가운과 슬리퍼, 필로우탑 침대 등 세심함이 돋보이는 어메니티와 서비스가 눈길을 끈다.

시설 및 서비스 레스토랑, 룸서비스, 풀사이드 바, 헬스장, 스파 등
체크인·체크아웃 14시·12시
SITE potiquehotel.com

이비스 스타일 나트랑
ibis STYLES

베트남 최초의 이비스 스타일 호텔

세계적인 호텔 체인인 아코르 계열의 호텔로 시내 중심부에 위치해 나트랑 해변과 여행자 거리를 손쉽게 즐길 수 있다. 300여 개의 객실 모두 관리가 깔끔하고 공간 활용이 잘되어 있다.

시설 및 서비스 레스토랑, 수영장, 스파, 피트니스 센터, 키즈 클럽, 미팅 룸 등
체크인·체크아웃 14시·12시
SITE ibisstylesnhatrang.com

시타딘 베이프론트 호텔
Citadines Bayfront Hotel

4성급 | 추천 ⏏

다목적 여행에 제격

스타일리시한 객실과 각종 부대시설이 잘 마련돼 있어, 가족 여행객은 물론 비즈니스 목적의 여행객들에게도 매우 유용한 호텔이다. 나트랑에서 손꼽히는 레스토랑인 응온 갤러리가 함께 있어 더욱 좋다.

시설 및 서비스 메인 레스토랑, 수영장, 헬스장, 키즈 클럽, 비즈니스 센터, 응온 갤러리 등
체크인·체크아웃 14시·12시

하바나 나트랑 호텔
Havana Nha Trang Hotel

5성급 | 가성비 ⑤

근사한 해변 전망, 만족스러운 가성비

모던하고 깔끔한 객실 인테리어와 가성비 모두 만족스러운 호텔이다. 쩐푸 비치에 자리하며 45층 높이에서 시내를 조망할 수 있다. 도보 5분 거리에 쩜흐엉 타워와 야시장이 있어 관광에도 제격이다.

시설 및 서비스 풀서비스 스파, 수영장, 사우나, 피트니스 센터, 키즈 클럽 등
체크인·체크아웃 14시·12시
SITE havanahotel.vn

호텔 노보텔 나트랑
Hotel Novotel Nha Trang

편안한 도심 여행의 베이스캠프

2005년 오픈한 18층, 154개 객실 규모의 4성급 호텔로 객실 내 테라스에서 나트랑 해변을 바라볼 수 있다.
주변에 레스토랑과 카페 등이 즐비해 편안하고 여유롭게 도심 여행을 즐길 수 있다.

시설 및 서비스 레스토랑, 수영장, 미팅 룸, 스파, 피트니스 센터 등
체크인·체크아웃 14시·12시
SITE www.novotelnhatrang.com

더 코스타 레지던스
The Costa NhaTrang

레지던스 호텔에서 내 집처럼 편하게

시내 중심부 해변 앞에 위치한 레지던스 호텔로 2013년에 오픈했다. 아파트와 호텔의 장점을 모두 누릴 수 있어 조금 더 편안하게 여행을 꾸려나갈 수 있다. 도보로 10분 이내에 쇼핑센터, 야시장과 유명 스파 등이 있어 접근성이 특히 훌륭하다.

시설 및 서비스 레스토랑, 카페, 전용 해변, 간이 주방, 세탁기 등
체크인·체크아웃 14시·12시
SITE www.thecostanhatrang.com

아리야나 스마트콘도텔
Ariyana SmartCondotel Nha Trang

편안하게 즐기는 쇼핑과 관광

주방 및 세탁 시설이 완비된 럭셔리 콘도텔로, 깔끔하고 세련된 내외부 시설을 자랑한다. 훌륭한 룸 컨디션에 더해 가성비도 좋아 가족 여행객에게 추천할 만하다. 야시장, 빈컴 플라자, 나트랑 센터, 롯데마트는 물론 롱선사 등 주요 명소와도 가까워 무척 편리하다.

시설 및 서비스 레스토랑, 미팅 룸, 수영장, 헬스장, 키즈 클럽 등
체크인·체크아웃 14시·12시
SITE ariyananhatrang.com

선라이즈 나트랑 비치 호텔 & 스파
Sunrise Nha Trang Beach Hotel & Spa

아늑하고 여유로운 콜로니얼 스타일 호텔

고급스럽고 웅장한 외관, 깔끔한 객실 인테리어로 많은 사랑을 받고 있는 호텔이다. 여행객들의 편의를 위한 다양한 부대시설을 갖추고 있으며 롱선사, 나트랑 센터, 빈원더스 케이블카 등과 나트랑의 대표 명소와 인접해 있다.

시설 및 서비스 전용 해변, 레스토랑, 피트니스 센터, 풀 바, 사우나, 수영장 등
체크인·체크아웃 14시·12시
SITE sunrisenhatrang.com.vn

그린 비치 호텔 나트랑
Green Beach Hotel Nha Trang

위치, 가격, 시설의 하모니

28개 층에 116개의 객실을 갖
춘 신규 호텔이다. 현대적이면
서도 고급스러운 인테리어가 돋
보이며, 최신식 내부 시설이 쾌
적한 여행을 돕는다. 인피니티
풀에서 여유롭게 수영을 즐기며
눈앞에 펼쳐지는 쩐푸 비치 전
망을 즐겨보자.

시설 및 서비스 인피니티 풀, 스파, 피
트니스 센터, 레스토랑 등
체크인·체크아웃 14시 · 12시
SITE greenbeachhotel.vn

나트랑 알리부 리조트
Nha Trang Alibu resort

바쁜 일정 속 누리는 힐링

22년 11월에 오픈한 조용하고 평
화로운 리조트로, 시설 내 레스토
랑의 식사와 음료가 포함되는 올
인클루시브로 운영된다. 저층형
숙소에서 아름다운 해변을 바라
보며 느긋한 휴식을 즐기기에 좋
다.

시설 및 서비스 레스토랑, 풀 바, 마사지,
스파, 야외 수영장 등
체크인·체크아웃 14시 · 12시
SITE aliburesort.com

디 엠피리언 나트랑 호텔
The Empyrean Nha Trang Hotel

도심의 장점이 제대로 녹아 있는

오션뷰, 시티뷰를 고루 즐길 수 있는 40층, 객실 450개 규모의 호텔이다. 야시장, 쩜흐엉 타워와 가까운 쩐푸 거리라는 위치, 훌륭한 컨디션을 자랑하는 널찍한 객실은 도심 여행자 뿐만 아니라 가족 여행객들에게도 안성맞춤이다.

시설 및 서비스 수영장, 피트니스 센터, 레스토랑, 주차장 등
체크인·체크아웃 14시·12시
SITE theempyreanhotel.com

리버티 센트럴 나트랑 호텔
Liberty Central Nha Trang Hotel

가성비도 가심비도 훌륭한

베트남 호텔 체인 리버티에서 2015년 오픈한 호텔이다. 주변 명소를 둘러보기 적합한 시내 중심에 위치하며 해변과도 가깝다. 세련되고 모던한 스타일의 외관과 고급스럽고 쾌적한 인테리어의 객실, 루프톱바 등의 내부 시설까지 커플 여행자에게 추천할 만하다.

시설 및 서비스 수영장, 스파, 피트니스 센터, 이그제큐티브 라운지, 스카이 바, 사우나 등
체크인·체크아웃 14시·12시
SITE www.libertycentralnhatrang.com

코모도 나트랑 부티크
COMODO Nha Trang Boutique

눈앞에 펼쳐진 그림 같은 오션뷰

도심에서 약간 거리가 있지만 탁 트인
오션뷰와 깔끔하고 모던한 인테리어
를 자랑하는 호텔이다. 내부 장식만큼
이나 관리 수준도 훌륭하고 직원들도
무척 친절하다.

시설 및 서비스 수영장, 피트니스 센터, 스파,
마사지, 레스토랑 등
체크인·체크아웃 14시·12시
SITE comodonhatranghotel.com

레갈리아 골드 호텔
Regalia Gold Hotel

시내 여행의 최강자

화려하고 웅장한 외관이 돋보이는 호텔로 2019년에 오픈했다. 만족스러운 룸 컨디션, 도보 여행에 최적
화된 위치, 40층 루프톱 수영장에서 내려다보는 뷰까지 칭찬이 자자하지만, 그 무엇보다 최고의 장점은
바로 가성비이다.

시설 및 서비스 레스토랑, 수영장, 피트니스 센터, 사우나, 스파, 키즈 클럽 등
체크인·체크아웃 14시·12시
SITE regaliahotel.vn

참파 아일랜드 나트랑 리조트 호텔 앤드 스파

5성급 | 가성비 $

Champa Island Nha Trang Resort Hotel and Spa

유유자적 즐기는 망중한

시내와 조금 거리가 있는 덕분에 조용하고 느긋한 휴식을 즐길 수 있는 리조트이다. 바다 전망은 없지만 깔끔한 분위기와 훌륭한 가성비로 가족 여행객들에게 인기가 많다. 쾌적한 객실과 다양한 편의시설은 물론 아동용 놀이시설도 잘 구비되어 있다.

<u>시설 및 서비스</u> 전용 해변, 수영장, 키즈 풀, 키즈 클럽, 피트니스 센터, 마사지, 스파, 레스토랑 등
<u>체크인·체크아웃</u> 14시·12시
<u>SITE</u> champaislandresort.vn

다이아몬드 베이 리조트 & 스파

5성급 | 가성비 $ 추천 ◆

Diamond Bay Resort & Spa

도심과 자연의 환상적인 조화

시내와 공항 중간에 위치한 리조트로 호텔 객실, 방갈로 객실 등 340여 개의 객실을 갖추고 있다. 베트남 전통양식과 현대적 디자인이 조화를 이룬 인테리어가 인상적이다. 멋들어진 풍경 속 따뜻한 햇살이 비추는 전용 해변은 물론 다양한 부대시설도 즐길 수 있다.

<u>시설 및 서비스</u> 수영장, 피트니스 센터, 스파, 사우나, 키즈 클럽 등
<u>체크인·체크아웃</u> 14시·12시
<u>SITE</u> www.diamondbayresort.vn

다이아몬드 베이 콘도텔 - 리조트
Diamond Bay Condotel - Resort Nha Trang

4성급 | 가성비 ⓢ

골프도 여행도 즐기고 싶다면

넓고 쾌적한 객실, 전용 해변과 널찍한 수영장까지 마련되어 있는 휴양 맞춤 호텔이다. 해변과 쇼핑센터로 무료 셔틀을 운영하며, 차로 10분 거리에 다이아몬드 베이 골프 코스가 있어 다양한 목적으로 나트랑을 찾은 가족 여행객들에게 추천할 만하다.

시설 및 서비스 수영장, 피트니스 센터, 스파, 사우나, 키즈 클럽, 레스토랑 등
체크인·체크아웃 14시·12시
SITE diamondbaycondotelresort.vn

스타시티 호텔 & 콘도텔 비치프론트
Starcity Hotel & Condotel Beachfront Nha Trang

4성급 | 가성비 ⓢ

나트랑의 설레는 밤

깔끔한 인테리어와 시설 등 기본에 충실한 호텔로 쩐푸 비치 앞에 자리한다. 관광과 쇼핑 모두 만족할 만한 위치라 도심 여행자에게 제격이며, 해변에서 밤을 즐기고 싶은 여행객에게도 괜찮은 선택지이다.

시설 및 서비스 수영장, 피트니스 센터, 스파, 키즈 클럽, 레스토랑 등
체크인·체크아웃 14시·12시
SITE starcitynhatrang.com

디꾸아 호텔 앤드 아파트먼트
DQua Hotel and Apartment

5성급 | 추천 ④

여유롭게 즐기는 나트랑 베이

고급스러운 인테리어의 202개 객실을 갖춘 아파트형 호텔이다. 도심에서 조금 떨어져 있지만 그만큼 여유롭게 일정을 보낼 수 있다. 인피니티 풀 아래로 펼쳐지는 도심과 나트랑 베이의 아름다운 전경은 놓치기 아쉽다.

시설 및 서비스 수영장, 키즈 클럽, 스파, 마사지, 피트니스 센터, 레스토랑 등
체크인·체크아웃 14시·12시
SITE dquahotel.com

디 아트 네스트 호텔
The Art Nest Hotel Nha Trang

4성급 | 가성비 ⑤

한 발 앞서 만나는 빈원더스

룸 컨디션과 가성비 모두 훌륭한 호텔로 2019년에 오픈했다. 시내에서 차량으로 10분 거리에 위치하며, 빈펄 섬으로 들어가는 케이블카 탑승장과 가까워 도심 관광은 물론 빈원더스 방문을 계획한 여행객에게 추천할 만하다.

시설 및 서비스 수영장, 피트니스 센터, 스파, 사우나, 레스토랑, 바 등
체크인·체크아웃 14시·12시
SITE artnesthotel.com

더 라이트 호텔 앤드 리조트
The Light Hotel And Resort

4성급 | 가성비 **S**

액티비티 천국

쩐푸 비치에 자리한 호텔로 14층, 129개 객실을 갖추고 있다. 깔끔한 객실, 다양한 서비스와 편의시설로 가격 대비 만족도가 높다. 스쿠버다이빙, 스노클링 등 액티비티를 근처에서 즐길 수 있고 주변 명소로 도보 이동이 가능해 더욱 좋다.

시설 및 서비스 수영장, 키즈 풀, 피트니스 센터, 풀사이드 바, 레스토랑 등
체크인·체크아웃 14시·12시
SITE thelightshotel.com.vn

그랜드 투란 나트랑 호텔
Grand Tourane Nha Trang Hotel

4성급 | 가성비 **S**

가성비 좋은 도심 호텔

도심 속 휴식을 취하기 좋은 호텔로 2023년 리모델링을 거쳐 재개장했다. 위치는 물론 실내 시설과 인테리어까지 모자랄 데 없다. 도심 여행을 계획한 여행객과 여유를 부리고 싶은 여행객 모두 만족할 만한 곳이다.

시설 및 서비스 수영장, 풀사이드 바, 스파, 사우나, 키즈 클럽 등
체크인·체크아웃 14시·12시
SITE nhatrang.grandtouranehotel.com

VINPEARL RESORT

빈펄 리조트 & 스파 나트랑
Vinpearl Resort & Spa Nha Trang Bay

`5성급 | 추천` ⬆

가족 여행객들의 1순위 리조트

빈원더스, 골프장, 빈펄 베이 전용 해변까지 누릴 수 있는 베트남 호텔 기업 빈펄의 대표 리조트이다. 다양한 액티비티와 이벤트를 경험하고 싶은 가족 여행객들의 많은 사랑을 받고 있다. 995개의 객실을 갖추고 있으며 룸 컨디션과 시설 모두 만족스럽다.

시설 및 서비스 전용 해변, 수영장, 레스토랑, 풀사이드 바, 키즈 클럽, 스파, 피트니스 센터 등
체크인·체크아웃 14시·12시
SITE vinpearl.com

나트랑 메리어트 리조트 & 스파 혼째
Marriott Resort & Spa Hon Tre Island

`5성급 | 럭셔리` ⬆

빈원더스에서 보내는 신나는 하루

가장 최근에 지어진 시설로 메리어트 브랜드가 선보이는 최상의 서비스를 경험할 수 있다. 디럭스부터 풀빌라까지 다양한 객실을 보유하고 있어 프라이빗한 휴양과 다이내믹한 여행 모두 가능하다. 룸 컨디션, 내외부 시설은 물론 끝내주는 야경과 빈원더스 옆이라는 위치까지 모두 매력적이다.

시설 및 서비스 레스토랑, 바, 수영장, 스파, 피트니스 센터 등
체크인·체크아웃 14시·12시

빈펄 리조트
Vinpearl Resort

기본에 충실한 가족형 리조트

다양한 구성의 476개 객실과 빈펄 리조트 중 가장 많은 부대시설을 갖추고 있는 곳이다. 빈원더스까지 도보 10분 거리이며 다른 명소와도 접근성이 좋다. 세계 각국의 요리를 즐길 수 있는 레스토랑도 이곳만의 장점으로 꼽힌다.

시설 및 서비스 전용 해변, 수영장, 스파, 키즈 룸, 레스토랑 등
체크인 · 체크아웃 14시 · 12시
SITE vinpearl.com

빈펄 럭셔리 나트랑
Vinpearl Luxury Nha Trang

낭만적인 풀빌라에서 최고의 휴양을

전체 프라이빗 풀빌라로만 구성된 럭셔리 리조트이다. 단독 빌라인 만큼 자연 속에서 로맨틱한 시간과 여유로운 휴양을 즐길 수 있다. 이동 시에는 버기카를 이용하며, 빈원더스까지 도보 10분, 골프클럽과 워터파크까지는 차량으로 8분 소요된다. 별도의 어린이 전용 시설은 갖추고 있지 않다.

시설 및 서비스 전용 해변, 수영장, 헬스장, 스파, 레스토랑, 피트니스 센터, 테니스 코트 등
체크인 · 체크아웃 14시 · 12시
SITE vinpearl.com

멜리아 빈펄 나트랑 엠파이어 콘도텔
Melia Vinpearl Nha Trang Empire

5성급 | 럭셔리 ●

도심 가성비 호텔을 원한다면

쩐푸 비치에 위치한 가성비 만점 호텔로 1,221개의 객실을 갖추고 있다. 기본을 갖춘 다양한 시설이 잘 마련돼 있으며 빈컴 플라자, 나트랑 센터, 야시장 등 도심 명소와 가까워 이동하기 편리하다.

시설 및 서비스 전용 해변, 수영장, 스파, 마사지, 레스토랑, 피트니스 센터 등
체크인·체크아웃 14시·12시
SITE www.melia.com

빈펄 비치프론트 나트랑 콘도텔
Vinpearl Beachfront Nha Trang

5성급 | 추천 ●

나트랑 비치를 한눈에

아름다운 해변 전망과 도심의 장점을 동시에 즐길 수 있는 레지던스형 호텔로 2018년 오픈했다. 엔터테인먼트 시설과 서비스에 대한 평가가 좋은 편이다. 밤을 즐기고 싶은 친구 또는 연인 여행객에게 추천한다.

시설 및 서비스 수영장, 키즈 클럽, 피트니스 센터, 스파, 레스토랑 등
체크인·체크아웃 14시·12시
SITE vinpearl.com

CAM RANH HOTEL & RESORT

미아 리조트 나트랑
Mia Resort Nha Trang

5성급 | 추천 👍

초록빛 자연 속 온전한 휴식

도심에서 다소 거리가 있지만 편안하고 평
화로운 분위기로 매력을 더하는 리조트이
다. 아름답고 넓은 전용 해변, 인피니티 풀
등 다양한 부대시설을 갖추고 있다. 북적
이는 시내보다 차분히 여유를 즐길 수 있
어 만족도가 높다.

<u>시설 및 서비스</u> 전용 해변, 주차장, 레스토랑, 스파,
피트니스 센터, 수영장, 키즈 풀 등
<u>체크인·체크아웃</u> 14시 · 12시
<u>SITE</u> mianhatrang.com

리비에라 비치 리조트 & 스파
Riviera Beach Resort & Spa

4.5성급 | 추천 👍

훌륭한 부대시설의 올 인클루시브 리조트

2015년 오픈한 올 인클루시브 리조트로
훌륭한 부대시설과 룸 컨디션을 자랑한다.
162개의 객실과 80개의 방갈로로 구성되
어 있어 선택의 폭이 넓다. 롱 슬라이드가
있는 워터파크 수영장 덕분에 가족 여행객
들의 선호도가 높다.

<u>시설 및 서비스</u> 수영장, 키즈 풀, 레스토랑, 바, 피트
니스 센터, 스파, 키즈 클럽 등
<u>체크인·체크아웃</u> 14시 · 12시
<u>SITE</u> rivieraresortspa.com

두옌하 리조트 깜라인
Duyen Ha Resort Cam Ranh

봐도 봐도 아름다운 오션뷰

그림 같은 리조트로 아이를 동반한 가족 여행자에게 인기가 높다. 빌라형 리조트, 프라이빗 풀빌라 등 609개 객실로 구성되어 있다. 롱 비치를 앞에 둔 야외 수영장이 특히 환상적이다.

시설 및 서비스 수영장, 미팅 룸, 셔틀버스, 키즈 클럽, 피트니스 센터, 해양 스포츠(비용 별도) 등
체크인·체크아웃 14시·12시
SITE duyenharesorts.com

디 아남 깜라인
The Anam Cam Ranh

우아하고 고급스러운 럭셔리 리조트

다양한 연령층에서 큰 사랑을 받고 있는 럭셔리 리조트로 베트남 특유의 매력이 녹아 있는 우아한 인테리어가 인상적이다. 객실 구성이 다양한데, 프라이빗 빌라를 선택하면 전용 풀을 이용할 수 있다. 객실 어메니티가 훌륭한 편이며, 깨끗하고 고운 모래와 청록색 바다가 자리한 전용 해변도 무척 아름답다.

시설 및 서비스 수영장, 스파, 미니 골프 코스, 키즈 클럽, 피트니스 센터, 테니스 코트, 셔틀버스 등
체크인·체크아웃 15시·12시
SITE theanam.com

퓨전 리조트 깜라인
Fusion Resort Cam Ranh

트렌디한 공간에서 피로 타파

나트랑 오션뷰의 절정을 누릴 수 있는 럭셔리 리조트로 일반 객실, 풀빌라 등 룸 타입이 다양하다. 자연과 어우러진 세련된 분위기가 마음을 사로잡는다. 다양한 테마의 레스토랑과 더불어 바이크 투어, 요가, 명상 등의 프로그램을 운영해 더욱 만족스럽다. 투숙객 전용 마사지로 여독을 풀어보자.

시설 및 서비스 전용 해변, 수영장, 스파, 키즈 클럽, 피트니스 센터, 투어 서비스 등
체크인 · 체크아웃 14시 · 12시
SITE camranh.fusionresort.com

래디슨 블루 리조트 깜라인
Radisson Blu Resort Cam Ranh

깜라인 베이의 매력이 한가득

292개 객실을 갖춘 아름다운 리조트이다. 각종 부대시설은 물론, 바다 바로 앞에 위치한 덕분에 녹음이 우거진 부지에서 일광욕과 해변 서핑 등 다양한 액티비티 체험이 가능하다. 호텔 객실과 스위트룸, 빌라까지 292개의 객실을 갖추고 있다.

시설 및 서비스 수영장, 키즈 풀, 베이비시팅(요금 별도), 야외 레크리에이션 서비스, 스파, 사우나 등
체크인 · 체크아웃 14시 · 12시
SITE www.radissonhotels.com

윈덤 그랜드 KN 파라다이스 깜라인

Wyndham Grand KN Paradise Cam Ranh

골프 마니아라면 놓칠 수 없는

2020년에 오픈한 대형 리조트로, 공항 바로 옆에 위치하며 나트랑 시내까지는 50분 거리이다. 이곳의 백미는 바로 그렉 노먼이 설계한 27홀 골프 코스와 골프 아카데미이다. 모던한 인테리어와 부대시설, 레크리에이션 시설까지 잘 갖춰져 있어 골프와 휴양 모두 만끽할 수 있다.

시설 및 서비스 골프장, 수영장, 피트니스 센터, 스파, 마사지, 레스토랑, 카페, 키즈 클럽 등
체크인·체크아웃 14시·12시
SITE www.wyndhamhotels.com

윈덤 가든 깜라인

Wyndham Garden Cam Ranh

합리적인 가격의 신상 리조트

2022년 오픈한 신상 리조트로 깜라인 공항에서 10분 거리에 위치한다. 나트랑 시내에서 다소 거리가 있지만 롱 비치가 인접한 데다 숙박비도 합리적이라 가족 여행자 사이에서 인기가 높아지고 있다. 풀빌라 등 룸 타입이 다양해 더욱 좋다.

시설 및 서비스 수영장, 레스토랑, 키즈 클럽, 스파 (요금 별도), 피트니스 센터 등
체크인·체크아웃 14시·12시
SITE www.wyndhamhotels.com

NINH VAN BAY RESORT

식스 센스 닌반베이
Six Senses Ninh Van Bay

6성급 | 럭셔리 ●

럭셔리 리조트의 모든 것

세계적인 리조트 브랜드의 시설과 서비스를 나트랑에서도 만날 수 있다. 공항에서 1시간 거리에 위치하는 만큼 한가로이 휴식을 즐길 수 있다. 클래식한 분위기의 객실은 전체 오션뷰로 컨디션 역시 훌륭하다. 어느 것 하나 흠잡을 데 없는 나트랑 최고의 프라이빗 리조트다.

<u>시설 및 서비스</u> 24시간 버틀러 서비스, 무료 리조트 프로그램, 야외 레크리에이션 서비스, 테니스 코트 등
<u>체크인·체크아웃</u> 14시·12시
<u>SITE</u> www.sixsenses.com

DA LAT HOTEL & RESORT

멀펄르 달랏 호텔
Merperle DaLat Hotel

5성급 | 가성비 $

베트남 인기 부티크 호텔

나트랑, 호치민 등에서도 만나볼 수 있는 부티크 호텔 체인으로 달랏에서 가장 큰 호텔이다. 달랏 중심에 위치하며 디럭스, 스위트 등 398개 객실이 있다. 공작새와 함박꽃 심볼이 고급스러움을 더하며, 스위트는 방과 정원이 결합되어 가족 여행자에게 좋다.

시설 및 서비스 피트니스 센터, 수영장, 찜질방, 패밀리 클럽, 골프체험실, 회의실 등
체크인·체크아웃 14시 · 12시
SITE www.merperledalat.vn

달랏 팰리스 헤리티지 호텔
Dalat Palace Heritage Hotel

5성급 | 추천

쑤언흐엉 호수 근처 고급 호텔

달랏 도심에서 가까운 호텔로 달랏 대성당 부근에 위치한다. 1922년 프랑스 총독 관저로 지어진 건물을 호텔로 개조해 오늘에 이른다. 73개 객실은 구관 43개, 신관 30개로 구성되어 있으며 왕궁에 온 듯한 기분이 들 정도로 고급스럽다. 스파, 사우나, 실외 풀 등 다양한 편의시설을 갖추고 있으며 자전거 대여 서비스도 제공한다.

시설 및 서비스 스파, 테니스코트, 사우나, 수영장, 라운지, 레스토랑 등
체크인·체크아웃 14시 · 12시
SITE www.dalatpalacehotel.com

골프 밸리 호텔 달랏
Golf Valley Hotel Da Lat

시내 투어와 골프를 한번에

2018년에 지어진 호텔로 달랏 시내 중심에 위치한다. 164개 객실은 전용 발코니를 갖추고 있으며, 스위트 룸에는 거실 공간이 마련되어 있다. 24시간 룸서비스를 이용할 수 있으며, 풀서비스를 받을 수 있는 마사 지가 있다. 주변에 카페와 식당이 늘어서 있으며 달랏 야시장까지는 도보 10분 정도 소요된다.

시설 및 서비스 피트니스, 24시간 룸서비스, 레스토랑, 라운지, 마사지 등
체크인·체크아웃 14시·12시
SITE www.golfvalleyhotel.com/vi/

호텔 콜린 달랏
Hotel Colline Dalat

전현무, 박나래가 선택한 도심 호텔

2019년에 오픈한 현대적인 인테리어의 호텔로 도심에 위치해 시내를 둘러보기 좋다. 예능 프로그램에
서 박나래, 전현무가 투숙했던 곳 으로 알려지며 인기를 얻고 있다. 13가지의 다양한 룸 타입이 있어 나홀로 여행자, 커플 여행자, 가 족 여행자 모두에게 좋다. 레스토 랑에서는 조식을 즐기며 달랏 시 내 풍경을 감상할 수 있다.

시설 및 서비스 피트니스, 레스토랑, 베 이커리 카페, 스파 등
체크인·체크아웃 14시·11시 30분
SITE hotelcolline.com

메리골드 호텔 달랏
Marigold Hotel Dalat

가성비 최고 호텔

2021년에 오픈한 유럽풍 스타일 호텔이다. 5층 규모로 94개의 객실이 있으며 다양한 서비스와 현대적인 시설을 경험할 수 있다. 달랏 야시장, 쑤언 흐엉 호수, 바오다이 여름별장과 가까워 도보로 이동하기 좋다. 호텔 바로 옆에 마트도 있어 간단하게 장을 보기에도 편리하다.

시설 및 서비스 레스토랑, 환전, 셔틀 버스, 조식 포장 서비스 등
체크인·체크아웃 14시·12시
SITE marigoldhotel.vn

라 플뢰르 프리미엄 센트럴 아파트먼트 달랏
La Fleur Premium Central Apartment Dalat

가족 여행자에게 최적의 숙소

달랏 중심가에 위치한 4성급 숙소로 내 집처럼 편안함을 느낄 수 있도록 디자인되었다. 매일 청소 서비스, 24시간 룸서비스 등 편의 서비스를 제공해 만족스러운 숙박을 경험할 수 있다. 별채 타입으로 공간이 넓고 방과 화장실도 충분해 가족 여행자 등 단체 여행자에게 추천한다. 달랏 시장과 크레이지 하우스, 달랏 대성당과 가깝다.

시설 및 서비스 레스토랑, 피트니스, 사우나, 스파 등
체크인·체크아웃 14시·11시 **SITE** lafleurdalat.com

달랏 라 사피네트 호텔
Dalat La Sapinette Hotel

4성급 | 추천 ▲

조용하고 쾌적한 여행 숙소

랑비앙 고원 중심에 위치한 숙소로 도심에서 살짝 벗어나 있어 조용한 휴식을 즐기고 싶은 여행자에게 추천한다. 총 91개의 객실을 보유하고 있으며 2021년 리모델링을 통해 더욱 쾌적해졌으며, 방 사이즈도 넓은 편으로 가족 여행자들에게도 좋다. 호텔 주변에 현지 음식점이 많아 식사를 즐기기 좋으며, 달랏 야시장까지는 차로 8분이면 이동 가능하다.

시설 및 서비스 환전, 피트니스, 유아 돌봄, 사우나, 마사지, 스팀룸, 셔틀 버스 등
체크인·체크아웃 14시 · 12시

달랏 TTC 호텔 응옥 란
Dalat TTC Hotel Ngoc Lan

4성급 | 가성비 ⑤

달랏 야시장과 가까운 호텔

91개의 객실로 구성된 호텔로 달랏 야시장 근처에 있어 도심을 둘러보기 편하다. 다양하고 맛있는 조식이 인기며, 조식 식당에서는 달랏 도심 풍경을 감상하며 식사를 즐길 수 있다. 룸 타입이 다양해 나홀로 여행자, 커플 여행자, 가족 여행자 모두에게 추천한다.

시설 및 서비스 레스토랑, 라운지, 셔틀 버스, 수영장, 피트니스, 자전거 대여, 키즈 클럽, 마사지 등 **체크인·체크아웃** 14시 · 12시 **SITE** ttchospitality.vn

아나 만다라 빌라 달랏 리조트 앤드 스파
Ana Mandara Villas Dalat Resort & Spa

5성급 | 가성비 **S**

가족과 보내는 숲속에서의 시간

달랏 시내에서 차로 10분 정도 거리, 마을이 내려다보이는 언덕에 자리잡고 있다. 20여 개의 빌라가 숲속에 흩어져 있어 고즈넉한 시간을 보낼 수 있다. 객실이 넓은 편이라 가족 여행자는 물론 수영장, 스파, 사우나 등 시설을 갖추고 있어 커플 여행자에게도 좋다. 만 5세 이하 아동은 무료 숙박이 가능하다.

시설 및 서비스 레스토랑, 스파, 사우나, 수영장, BBQ, 풀사이드 바, 키즈 클럽, 놀이터 등
체크인·체크아웃 14시·12시 **SITE** anamandara-resort.com

빈 안 빌리지 리조트 달랏
Binh An Village Dalat Resort

4성급 | 추천 **△**

최고의 피톤치드 힐링

2013년에 지어진 리조트로 소나무 숲 사이에 6개 객실 건물이 위치한다. 근처에 식당이 많지 않기 때문에 숙소에서 편안하게 휴식하며 룸서비스를 이용하는 것을 추천한다. 낚시, 자전거, 탁구, 배드민턴, 쿠킹 클래스 등을 무료로 이용할 수 있으며 보트 타기는 유료다. 숲속에서 산책을 즐기며 느긋한 휴식을 즐길 수 있어 부모님과 함께하는 가족 여행자에게 추천한다.

시설 및 서비스 피트니스, 셔틀 버스, 레스토랑, 자전거, 쿠킹 클래스, 보트 등
체크인·체크아웃 14시·12시 **SITE** binhanvillage.com

달랏 원더 리조트
Dalat Wonder Resort

4성급 | 추천 ❹

파란 하늘과 호수 뷰

뚜엔람 호수 근처에 위치한 리조트로 근사한 풍광이 눈길을 사로잡는 곳이다. 건물 층별로 객실이 구성되어 있으며, 1층은 호수가 보이는 테라스를 갖추고 있다. 리조트 규모가 넓어 레스토랑 이용 시 카트를 요청해야 한다. 수영장도 현지인들이 결혼 사진을 찍을 정도로 경치가 좋다.

시설 및 서비스 마사지, 피트니스, 스파, 수영장, 사우나, 레스토랑
체크인·체크아웃 14시 · 12시 SITE www.dalatwonderresort.com

달랏 에덴시 레이크 리조트 앤드 스파
Dalat Edensee Lake Resort & Spa

3성급 | 추천 ❹

달랏에서의 특별한 시간

뚜엔람 호수 바로 옆에 위치한 리조트로 달랏의 자연을 한껏 느낄 수 있는 곳이다. 내부는 유럽의 궁전을 떠오르게 하는 고풍스러운 인테리어로 객실에서 호수 전망을 즐길 수 있다. 현지식과 서양식, 한식 등 조식 메뉴가 다양해 가족 여행자들에게 좋다. 리조트 내 산책로도 잘되어 있고, 마사지도 받을 수 있어 느긋하게 시간을 보내기 좋다.

시설 및 서비스 마사지, 레스토랑, 라운지, 셔틀버스, 버기카 등 체크인·체크아웃 14시 · 12시
SITE www.dalatedensee.com/vi

VIP CARD

오! 마이 나트랑·달랏 × 베나자 제휴 업체

VIP 카드 사용하기 ─────────────────────

나트랑 자유 여행자들의 편안하고 즐거운 여행을 위해 베나자가
<오! 마이 나트랑·달랏>이 독자에게 제공하는 카드입니다. 결제 기능을 갖춘 신용카드가 아니며,
트래블 라운지에서 실물 카드로 교환 후 100여 곳의 제휴 업체에서 제시 후 할인 혜택을 받을 수 있습니다.
제휴업체는 현지 사정으로 변경될 수 있으니 방문 전 사용 가능 여부는 '베나자' 카페에서 확인하세요.

고객센터 02-2297-3137　웹사이트 cafe.naver.com/mindy7857

⊘ 본 카드는 트래블라운지에서 실물 카드로 교환해 드립니다.
⊘ 실물 카드를 베나자 제휴업체 이용 시 제시하면 할인 및 기타 혜택을 받을 수 있습니다.
⊘ 제휴업체 할인 및 혜택 내용은 언제든 변경될 수 있습니다.
⊘ 반드시 결제 전 VIP 카드를 제시하여야 할인이 가능합니다.
⊘ 본 카드의 유효기간은 2025년 12월 30일까지입니다.

스파 & 마사지

그랜드 스파
나트랑 최대 규모 럭셔리 스파! **VIP CARD**
GRAND SPA
OPEN 9:00-22:30　**10~50%** 할인

로얄 살롱
나트랑 최고 럭셔리 이발관 **VIP CARD**
Royal Salon
OPEN 9:00-22:30　**10~50%** 할인

라운지 스파 & 마사지
나트랑 1등 대표 마사지 숍 **VIP CARD**
Lounge Spa & Massage
OPEN 9:00-22:30　**10~50%** 할인

망고 스파 & 네일
스파와 네일을 동시에 **VIP CARD**
Mango Spa & Nail
OPEN 9:00-22:30　**10~50%** 할인

베나자 풋스파
한국인 전용 프라이빗 발 마사지 숍 **VIP CARD**
VENAJA Footspa
OPEN 9:00-22:30　**10~50%** 할인

식당

라냐 베트남 가정식
나트랑 1등 맛집 **VIP CARD**
La Nha Vietnamese Restaurant
OPEN 6:30-9:30, 11:00-21:00
(마지막 주문 20:00)　**5%** 할인

라이 하이산
쾌적하게 즐기는 맛있는 시푸드 **VIP CARD**
Lai seafood Restaurant
OPEN 12:00-22:00
(마지막 주문 21:00)　**10%** 할인

안 키친
나트랑 최고 감성 한식당 **VIP CARD**
An Kitchen
OPEN 11:00-23:00　**10%** 할인

촌촌킴
호불호 없는 베트남 가정식 **VIP CARD**
Chuon Chuon Kim
OPEN 10:30-21:00　**7%** 할인

냐뻽
나트랑에서도 만나는 다낭 맛집 **VIP CARD**
Nha Bep Nha Trang
OPEN 10:30~21:30　**5%** 할인

여행자들이 좋아하는 푸트 코트	VIP CARD
쏨모이 가든	
Xom Moi Garden	
OPEN 10:30-22:00	5%할인

베트남 최고의 프랜차이즈	VIP CARD
루남 카페 & 레스토랑	
Runam Cafe & Restaurant	
OPEN 7:00-22:30	10%할인

분위기 갑! 비스트로	VIP CARD
시 비스트로	
Si Bistro	
OPEN 6:00-22:00	10%할인

나트랑 야시장 옆에 위치한 분위기 갑 카페
베이 델리 커피 & 레스토랑
Bay Deli Coffee & Restaurant
OPEN 7:00-23:00   음식 10%/음료 15% 세트 5% 할인

한식과 이탈리안의 만남	VIP CARD
인디스 키친	
Indy's Kitchen	
OPEN 11:00-14:00, 17:00-다음날 2:00	10%할인

해변에서 즐기는 식사	VIP CARD
케이 하우스	
K-House	
OPEN 15:00-2:00	10%할인

아메리칸 BBQ와 버거	VIP CARD
리빈 콜렉티브	
Livin Collective	
OPEN 10:00-22:00	10%할인

나트랑에서 가장 유명한 일식당	VIP CARD
미타미	
Mitami	
OPEN 11:00-14:00, 17:00-22:00	10%할인

모든 고기를 맛보다	VIP CARD
남이 식당	
Nami Korean BBQ	
OPEN 11:00-22:00	10%할인

독특한 식사를 즐기자	VIP CARD
벱 탄 가든	
Bep Than Garden	
OPEN 11:00-23:30	10%할인

베트남 전통식당	VIP CARD
만 식당	
Nha hang Man	
OPEN 10:10-21:00	5% 할인

이국적인 브런치 레스토랑	VIP CARD
알파카	
Alpaca	
OPEN 8:00-21:30	10% 할인

완벽한 한국 음식	VIP CARD
장터 국밥	
Chang Tho	
OPEN 10:00-22:00	10% 할인

나트랑에서 즐기는 발리	VIP CARD
발리 하이 레스토	
Bali Hai Resto	
OPEN 11:00-22:00	10% 할인

육즙 팡팡 최고의 스테이크	VIP CARD
조니 스테이크 하우스	
Johnny Steak House 1·2호점	
OPEN 1호점 7:00-22:00, 2호점 10:00-22:00	10% 할인

독특한 콘셉트의 타이 레스토랑	VIP CARD
그린 커리 타이 키친	
Green Curry Thai Kitchen	
OPEN 7:00-21:00	10% 할인

맛으로 승부하는 곳	VIP CARD
리스 그릴	
Lee's Grill	
OPEN 11:00-23:00	10% 할인

태국 음식의 진수	VIP CARD
삼러 타이	
Sam Lor Thai	
OPEN 11:00-14:00, 17:00-21:00	8% 할인

나트랑에서 즐기는 정통 딤섬	VIP CARD
청안 딤섬	
Cheng An Dimsum	
OPEN 6:00-22:00	10% 할인

한국 스타일 중식당	VIP CARD
나짱 반점	
Nhà hàng Nha Trang	
OPEN 9:30-21:30	10% 할인

전 세계인들이 사랑하는 크랩 전문 식당 **VIP CARD**

레드 크랩
Red Crab

OPEN 11:30-23:00
(마지막 주문 22:00)

5%
할인

나트랑 명물 뚝배기 쌀국수 맛집 **VIP CARD**

퍼한푹
Pho Hanh Phuc

OPEN 6:00-21:00

10%
할인

퓨전 베트남 음식을 즐기자 **VIP CARD**

린 베트남 식당
Linh's Vienmanese Cuisine

OPEN 10:30-22:30

10%
할인

분위기부터 완벽한 베트남 **VIP CARD**

엇히엠
Ot Hiem

OPEN 8:00-22:00

10%
할인

베트남 스타일 해산물 **VIP CARD**

동호콴
Dong Ho Quan

OPEN 11:00-22:30

10%
할인

독특한 베트남 음식 **VIP CARD**

바오 응온
Bao Ngon Restaurant

OPEN 10:00-22:00

10%
할인

독특한 콘셉트의 베트남 식당 **VIP CARD**

코이 콴
Cui Quan

24시간 영업

10%
할인

베트남 가정식과 길거리 음식 **VIP CARD**

바 또이
Ba Toi

OPEN 10:00-14:00, 16:30-21:00

10%
할인

인테리어부터 오픈 키친까지 **VIP CARD**

올리비아 레스토랑
Olivia Restaurant

OPEN 7:00-12:00, 16:00-21:00

10%
할인

5성급 호텔에서 즐기는 뷔페 **VIP CARD**

피스트 쉐라톤
Feast Sheraton

OPEN 18:00-22:00
(금,토요일 운영)

10%
할인

로컬의 맛을 즐기자   **VIP CARD**

분 더우 하노이
Bun Dau Ha Noi

OPEN 9:00-22:00   **10**[%]할인

나트랑 해변에 위치한 일식 레스토랑   **VIP CARD**

아키라 스시
Akira Sushi

OPEN 10:00-22:00   **10**[%]할인

반미

1인 1식 필수 반미   **VIP CARD**

반미 응온
Banh Mi Ngon

OPEN 6:00-21:00   **10**[%]할인

로컬이 찾는 반미 맛집   **VIP CARD**

반미 스페이스
Banh Mi Space

OPEN 6:00-20:00   **10**[%]할인

베트남 소울 푸드   **VIP CARD**

반미 판
Banh Mi Phan

OPEN 10:00-21:00   **10**[%]할인

카페 & 디저트

카페 & 디저트 — VIP CARD	**인생 사진 카페는 바로 이곳** — VIP CARD
콩 카페	**뚜레땅 커피**
Cong Caphe 1·2호점	Tous Les Temps Tea & Coffee 1-2호점
OPEN 7:00-22:00 — 8% 할인	OPEN 7:00-22:30 — 10% 할인
베트남 스타일 커피 전문점 — VIP CARD	**혼쭙 지역의 감성 카페** — VIP CARD
CCCP 커피	**토우루 카페**
CCCP Coffee 1-2호점	Tooru Cafe
OPEN 6:00-23:00 — 10% 할인	OPEN 7:00-22:00 — 10% 할인
베트남 최고 카페 — VIP CARD	**낮과 밤 모두 분위기 갑** — VIP CARD
안 카페	**야사카 커피**
An Cafe 1-4호점	Yasaka Coffee
OPEN 6:30-22:00 — 10% 할인	OPEN 6:30-22:00 — 10% 할인
나트랑 성지가 된 카페 — VIP CARD	**나트랑 명물 아이스크림** — VIP CARD
올라 카페	**드래곤 망고**
Ola Cafe	Dragon Mango
OPEN 7:00-22:00 — 12% 할인	OPEN 9:30-21:30 — 5% 할인
베트남식 감성 카페 — VIP CARD	**감성 넘치는 벨기에 와플 아이스크림** — VIP CARD
망고 커피	**헨리 벨기에 아이스크림 & 와플**
Mango Coffee	HENRI Belgian Ice Cream & Waffles
OPEN 8:00-22:00 — 5% 할인	OPEN 9:30-22:00 — 5% 할인

감성 가득 젤라토   VIP CARD

다이노 시뷰
Dino's Seaview

OPEN 9:00-22:00   **8**%할인

제비집으로 만든 특산 디저트   VIP CARD

디저트 네스트
Dessert Nest

OPEN 6:30-22:00   **15**%할인

베트남 전통 스타일   VIP CARD

우메 카페
Ume Cafe

OPEN 7:30-22:00   **12**%할인

베트남을 담은 식당   VIP CARD

흐엉쿼 식당
Huong Que

OPEN 6:00-22:00   **10**%할인

바 & 클럽 & 라운지

나트랑에서 가장 멋진 야경 명소   VIP CARD

스카이 블루 라운지
SKY BLU Lounge

OPEN 7:30-24:00   **10**%할인

28층에 위치한 럭셔리 바   VIP CARD

쉐라톤 앨티튜드
Altitude Rooftop Bar

OPEN 17:00-24:00   **10**%할인

수제 맥주 전문 비치 펍   VIP CARD

루이지애나
Louisiane Brewhouse

OPEN 8:00-24:00   **10**%할인

분위기 최고 비치 펍 레스토랑   VIP CARD

세일링 클럽   무료 입장
Sailing Club

OPEN 7:30-2:30   **10**%할인

현지 스타일 맥주 펍   VIP CARD

로콧
Lo Cot

OPEN 16:00-2:00   **7**%할인

쇼핑

AB센트럴 광장 펍 **VIP CARD** **할로 펍** Hallo Pub OPEN 16:00-24:00 **10**%할인	귀국 선물 준비는 이곳 **VIP CARD** **로로앤코** Loro & Co. Boutique OPEN 11:00-23:00 **5~10**%할인
베나자 스토어 옆 로컬 맥주 집 **VIP CARD** **데일리 비어** Daily beer OPEN 16:00-24:00 **5**%할인	AB센트럴에 입점한 정품 매장 **VIP CARD** **퀵실버** QUIKSILVER OPEN 9:30-22:00 **5**%할인
혼쫑에서 가장 뜨거운 비치 펍 **VIP CARD** **더 부사 파크** The BUSA Park OPEN 18:00-23:00 **10**%할인	라탄백부터 기념품까지 **VIP CARD** **키싸 하우스 수브니어** Kissa House Souvenir OPEN 9:00-21:00 **10**%할인 (일부 품목 제외)
K-POP을 즐기는 클럽 **VIP CARD** **심야 클럽** SIMYA CLUB OPEN 18:00-1:00 **10**%할인	가방 전문 숍 **VIP CARD** **키싸 백** Kissa Bag OPEN 9:00-21:00 **10**%할인
식사 후 가볍게 즐기는 맥주 **VIP CARD** **신디 비어** Cindy Beer OPEN 16:00-1:00 **5**%할인	의류부터 신발까지 한 번에 **VIP CARD** **악어집** Lieu Shop OPEN 10:00-22:00 **5**%할인

고급 수제 오가닉 숍 **VIP CARD**	약국 쇼핑하기 **VIP CARD**
줄리스	**빗 투이 약국**
Juli's	Bich Thuy
OPEN 10:30-21:00	10 % 할인	OPEN 6:30-19:30	백만 동 이상 구입 시 3 % 할인

다양한 브랜드 쇼핑을 한번에 **VIP CARD**	한국인 약사 상주 약국 **VIP CARD**
짭	**DS 약국**
Lieu Shop	Nha Thoc DS
OPEN 10:00-22:00	5 % 할인	OPEN 8:00-22:00	2~10 % 할인

나트랑 야시장 부근 대형 마트 **VIP CARD**	기념품 쇼핑 제격 **VIP CARD**
타카 마트	**YUMSEA**
Taka Mart	1·2호점
OPEN 8:00-22:30	7 % 할인	OPEN 8:00-23:30	10 % 할인

수백만 병이 팔린 잼 **VIP CARD**	아동복 전문 매장 **VIP CARD**
데비스 잼	**구스타보 가노** 1~5호점
Devi's Jam	Gustavo Gano
OPEN 10:00-22:00	5 % 할인	OPEN 9:00-22:00	5 % 할인

신선한 과일, 음료, 아이스크림까지 **VIP CARD**
제시 푸루트
Jesi Fruit
OPEN 01:00-22:00	10 % 할인

오! 마이 나트랑·달랏